S0-AXK-261

전 세계 어린이들이 가장 많이 읽는

영어동화 100편

아이작(ISAAC) 선생님은 ……

미국의 명문 대학인 University of California at Berkeley에서 영문학을 전공하신 뒤
우리 나라 연세대학교에서 동아시아 학문으로 석사 학위를 받으셨어요.
지금은 각종 영어 방송 프로그램의 MC, DJ, 성우, 강사 등으로 활발히 활동하고 계세요.
EBS FM 라디오의 "Easy English", EBS TV의 "English Cafe",
Arirang FM 라디오의 "Golden Goodies" 등에서 아이작 선생님을 만날 수 있어요.

김은아 선생님은 ……

대학과 대학원에서 영문학을 공부하셨고, 지금은 미국의 미시건 주에서
동화 전문 칼럼리스트, 번역, 통역, 특파원 등으로 바쁜 일상을 보내고 계시답니다.
저서로는 '아장아장 잉글리시(2001년)', 번역본으로 '비디오 Mother Goose Story 전 권' 등이 있어요.

초판 4쇄 발행 2006년 1월 24일
기획 책아책아! **감수** 아이작 **글** 김은아 **그림** 우나연
편집책임 하현주 **편집진행** 김정화 **디자인** 장혜선
표지 및 본문 디자인 SALT&PEPPER Communications
녹음 대신미디어
발행처 애플비 **발행인** 오세경 **편집인** 이순영
주소 서울특별시 서대문구 충정로2가 7-2 **홈페이지** www.applebeebook.com
신고번호 제 312-2000-000063호 **등록일자** 2000년 7월 22일
편집문의 전화 (02) 365-2505 · 팩스 (02)365-2503
마케팅문의 전화 (02) 722-3610 · 팩스 (02)722-3611

ISBN 89-5791-256-8

전 세계 어린이들이 가장 많이 읽는

영어동화 100편

기획 | 책아책아! **감수** | 아이작 (ISAAC) **글** | 김은아 **그림** | 우나연

애플비

Contents

01

고대 그리스의 이솝 우화

The Dog and His Bone

A dog was crossing a bridge.
He had a bone in his mouth.
He was looking down the stream and saw another dog with a bone in his mouth.
"Hmm! That dog has a bone, too. His bone looks bigger than mine."

해석 _개와 뼈다귀

개가 다리를 건너고 있었어요./ 개는 입에 뼈다귀를 물고 있었어요./ 개는 개울을 내려다보고는 다른 개가 입에 뼈다귀를 물고 있는 것을 보았어요./ '음! 저 개도 뼈다귀를 갖고 있잖아./ 그의 뼈다귀가 내 것보다 더 커 보이는걸.' / "멍! 멍! 그 뼈다귀를 내놔."/ 오, 불쌍한 욕심쟁이 개여!/ 뼈다귀는 영영 사라져 버렸어요.

"Bark! Bark! Give me the bone."

Oh, the poor greedy dog !

His bone was gone forever.

Goldilocks and the Three Bears

The bear family returned to their house.

"Somebody broke my chair," the baby bear cried out.

"Somebody ate my soup," the mama bear cried out.

"Somebody slept in my bed," the papa bear cried out.

Little Goldilocks woke up to see the bear family.

“Help me!”

She shouted and ran out of the house .

해석 _골디락스와 곰 세 마리

곰 가족이 집으로 돌아왔어요./ “누군가 내 의자를 부러뜨렸어.” 아기곰이 고함을 쳤어요./ “누군가 내 스프를 먹었어.” 엄마곰이 고함을 쳤어요./ “누군가 내 침대에서 잠을 잤어.” 아빠곰이 고함을 쳤어요./ 어린 골디락스는 잠에서 깨어나 곰 가족을 보았어요./ “도와 주세요.” 그녀는 소리를 치며 그 집에서 뛰쳐나왔어요.

03 고대 그리스의 이솝 우화

The Old Lion and the Fox

There was an old lion. Once he was the king of the jungle. But now he was lying sick in his den .

Many animals visited him, but he ate them one by one.

One sunny day, a fox was passing by the den .

The old lion told the fox to come into his den .

But the fox said, “No.”

“I can see tracks only going inside but none coming out.”

Then the fox hurried away.

해석 _늙은 사자와 여우

늙은 사자가 있었어요./ 한 때 그는 정글의 왕이었어요./ 하지만 이제는 병든 채 굴 속에 누워 있었어요./ 많은 동물들이 사자를 찾아왔는데,/ 사자는 한 마리씩 잡아먹고 말았어요./ 어느 화창한 날, 여우 한 마리가 굴 옆을 지나가고 있었어요./ 늙은 사자는 여우에게 굴 안으로 들어오라고 말했어요./ 하지만 여우는 “싫어요” 라고 말했어요./ “들어간 발자국만 있고, 나온 발자국은 없군요.”/ 그렇게 말하고는 여우는 급히 사라졌어요.

덴마크의 안데르센 동화

04 The Ugly Duckling

The ugly duckling  saw some beautiful swans swimming. He didn't want to be with other ducks  ever again. He thought he'd rather be killed by the swans.

So he cried out, "Kill me!" and bent  his head down.

Then he saw his image in the clear water. He wasn't an ugly duckling  anymore. He was a beautiful swan.

Some children saw him and shouted,

"Look at the beautiful swan."

The beautiful swan was really happy.

해석 _미운 오리 새끼

미운 오리 새끼는 아름다운 백조가 헤엄치는 것을 보았어요./ 그는 다시는 다른 오리들과 같이 있고 싶지 않았어요./ 차라리 그 백조들한테 죽는 것이 낫다고 생각했어요./ 그래서 "나를 죽여요!" 라고 외치고서 머리를 숙였어요./ 그런 다음 그 맑은 물에 비친 자신의 모습을 보았어요./ 그는 더 이상 못생긴 오리 새끼가 아니었어요./ 그는 아름다운 백조였어요./ 아이들이 백조를 보고 외쳤어요./ "저 아름다운 백조를 봐."/ 그 아름다운 백조는 정말 행복했어요.

고대 그리스의 이솝 우화

05 The Bear and the Two Friends

Two friends  were traveling.
One day, they met a bear  on the path.
One friend  climbed up a tree .
But the other friend  couldn't run away,
so he fell flat  on the ground.
The bear  sniffed him and went away.

해석 _곰과 두 친구

두 친구가 여행을 하고 있었어요./ 어느 날 그들은 길을 가던 중 곰을 만났어요./ 한 친구는 나무 위로 올라갔어요./ 그러나 다른 친구는 달아날 수 없었어요./ 그래서 바닥에 납작하게 엎드렸어요./ 곰이 그를 킁킁 냄새를 맡더니 가버렸어요./ 곰이 가고 나서 친구는 나무에서 내려왔어요./ 그는 곰이 뭐라고 말했는지 친구에게 물었어요./ "네가 위험할 때 버리는 친구와 절대 여행하지 마."

After the bear had gone,
the friend came down from the tree.
He asked his friend
what the bear said.

"Never travel with a friend who deserts you in danger."

06

고대 그리스의 이솝 우화

The Ants and the Grasshopper

While a grasshopper spent the summer singing songs, the ants kept gathering grain for the long winter.

On a fine winter day, when the ants were busy drying the grain, the hungry grasshopper came to beg for some food.

"Give me some food, please."

해석 _개미와 베짱이

베짱이 한 마리가 여름내 노래를 부르는 동안/ 개미들은 긴 겨울 동안 먹을 곡식을 모았어요./ 어느 볕 좋은 겨울날 개미들이 곡식 말리기에 바쁠 때 / 배고픈 베짱이가 음식을 구걸하러 왔어요./ "음식을 좀 주세요."/ "여름을 바보같이 보냈다면/ 겨울에는 먹을 것 없이 온종일 춤을 춰야 해요." 라고 개미는 베짱이에게 말했어요./ "난 정말 바보였어!"/ 베짱이는 눈물을 터트렸어요.

"If you spent summer being foolish, you should dance all day without food in winter," the ant said to the grasshopper.

"I was so foolish!"

The grasshopper burst into tears.

07 영국의 전래 동화

The Gingerbread Man

The gingerbread man  arrived at the river.
A fox  came over to him and said,
"I can help you. I won't eat you."
The gingerbread man  jumped on the fox's tail.
When the gingerbread man  got wet,
the fox  told him to jump on his back .

해석 _생강빵 맨

생강빵 맨이 강에 도착했어요./ 여우 한 마리가 오더니 말했어요./ "내가 도와 줄게. 난 널 절대 먹지 않아."/ 생강빵 맨은 여우 꼬리에 올라탔어요./ 생강빵 맨이 물에 젖자 여우가 그를 자기 등에 타도록 했어요./ 생강빵 맨이 다시 물에 젖자 여우는 자기 코에 타도록 했어요./ 그들이 강 반대편에 닿자마자 여우는 생강빵 맨을 덥석 삼켜 버렸어요.

When the gingerbread man got wet again, the fox told him to jump on his nose .

As soon as they got to the other side of the river , the fox snapped up the gingerbread man.

I'll eat you.

고대 그리스의 이솝 우화

08 The Fox and the Grapes

A hungry fox  found a grapevine.
He saw the grapes  on the vine.

"I love grapes.
They look great.
They taste great, too."

But he couldn't reach  them no matter how hard he tried.

해석 _여우와 신 포도

배고픈 여우가 포도나무를 발견했어요./ 그는 포도나무에 달린 포도를 보았어요./ "난 포도가 좋아./ 예쁘게 생겼지./ 맛도 좋아."/ 하지만 아무리 노력을 해도 포도에 손이 닿지 않았어요./ 여우는 포도를 보고 고함까지 질렀어요./ 하지만 포도는 여전히 거기 높이 있었어요./ "저 포도들은 분명히 신맛일 거야." 배고픈 여우는 혼잣말을 했어요./ 그러고는 멀리 가 버렸어요.

He even shouted at the grapes, but the grapes were still high up.

"The grapes must taste sour," the hungry fox said to himself, and then he went away.

09

노르웨이의 전래 동화

The Three Billy Goats Gruff

The Big Billy Goat Gruff came onto the wooden bridge. He was so heavy that the bridge made squeaky sounds.

The fierce troll  stopped him.

"Who crosses my bridge?"

"It's the Billy Goat Gruff," shouted

해석 _우락부락 염소 삼 형제

큰 우락부락 염소가 나무다리에 왔어요./ 그는 너무 무거워서 다리가 삐거덕 소리를 냈어요./ 사나운 괴물이 그를 멈춰 세웠어요./ "누가 내 다리를 건너는 거야?"/ "우락부락 염소다." 라고 염소가 외쳤어요./ "너는 내 다리를 건널 수 없어. 너를 잡아먹을 테다," 라고 괴물이 말했어요./ "나는 뿔이 두 개 있어," 우락부락 염소가 말했어요./ 그는 뿔로 괴물을 공격했어요./ 괴물은 우락부락 염소에게 달려들었어요./ 그 염소는 뿔로 괴물을 다리 위로 올려 던졌어요./ 괴물은 강물에 빠졌어요.

the goat.

"You can't cross my bridge.
I'll eat you up," the troll said.

"I have two horns,"
the Billy Goat Gruff said.

He charged the troll
with his horns. The troll
rushed at the Billy Goat Gruff.
The goat tossed the troll over
the bridge with his horns.

The troll fell down into the river.

10

고대 그리스의 이솝 우화

An Ass and a Horse

A big horse and a little ass were traveling together with their master.

The horse didn't carry anything, but the ass was carrying lots of things.

"Please help me. The load is too heavy," the ass said sadly to the horse.

해석 _노새와 말

커다란 말과 작은 노새가 주인과 함께 여행을 하고 있었어요./ 말은 아무 것도 없었지만 노새는 많은 짐을 나르고 있었어요./ "날 좀 도와 줘. 짐이 너무 무거워." 노새가 슬프게 말에게 말했어요./ "싫어. 그것은 네 것이지 내 것이 아니야." 말이 말했어요./ 곧 노새가 쓰러져 죽었어요./ 주인은 노새의 모든 짐을 말 등에 옮겨 실었어요./ "내가 바보였어. 노새를 도와 줬더라면 지금보다는 훨씬 가벼웠을 텐데," 말은 후회했어요.

"No. It's yours, not mine,"

the horse said.

Soon the ass fell down and died.

The master moved all the load of the ass to the back of the horse.

"I was so stupid. If I had helped the ass, now I could be carrying a lighter load," the horse lamented.

Please help me.

11

고대 그리스의 이솝 우화

The Fox and the Crow

A crow was sitting on a tree  .

The crow had a piece of cheese 

in her beak .

A hungry fox  saw the crow  .

The fox looked up at the crow 

on the tree  and said,

"You are so beautiful!"

해석 _여우와 까마귀

까마귀 한 마리가 나무에 앉아 있었어요./ 까마귀는 치즈 한 조각을 부리에 물고 있었어요./ 배고픈 여우가 까마귀를 보았어요./ 여우는 나무에 앉은 까마귀를 올려다보며 말했어요./ "정말 예쁘세요."/ 까마귀는 너무 행복해서 노래를 부르려고 입을 벌렸어요./ 까마귀가 입을 열자마자 /치즈가 땅에 떨어졌어요./ 여우는 치즈를 잡아채 도망갔어요.

The crow was very happy and opened her mouth to sing.

As soon as she opened her mouth, the cheese fell to the ground.

The fox  snatched up the cheese   and ran away.

You're so beautiful.

인도의 전래 동화

The Magic Cooking Pot

An old woman gave a poor girl a magic cooking pot.

One day, when the girl was not in her house, her mother wanted to have some porridge.

"Boil, boil, little pot!"

해석 _마법의 요리 냄비

어떤 할머니가 불쌍한 한 소녀에게 마법의 요리 냄비를 주었어요./ 어느 날 소녀가 집에 없는 사이 그녀의 어머니는 죽이 먹고 싶어졌어요./ "끓어라, 끓어라, 작은 냄비야!" 라고 그녀의 엄마는 마법의 주문을 말했어요./ 냄비는 죽을 끓이기 시작했어요./ 하지만 그녀는 어떻게 멈춰야 할지 몰랐어요./ 죽이 끓어 넘쳐서 마루로 흘러내렸어요./ 죽은 언덕을 타고 내려가 마을로 흘러 들어갔어요./ 소녀가 집에 돌아오자 "멈춰라, 멈춰라, 작은 냄비야!" 라고 외쳤어요./ 죽은 더 이상 흘러 넘치지 않았어요.

Her mother said the magic words.
The pot started boiling some porridge.
But she didn't know how to stop it.
The porridge boiled over and flowed onto the floor.

The porridge flowed down the hill and into the village.

The girl returned home,
"Stop, stop, little pot!" she shouted.
The porridge stopped flowing over.

13

고대 그리스의 이솝 우화

The Boy Who Cried Wolf

A shepherd boy was so bored.

He called out to the villagers.

"Wolf, Wolf!"

The villagers came running to help him. But it was a lie. They went back to the village grumbling.

해석 _양치기 소년

양치기 소년은 너무도 심심했어요./ 그는 마을을 향해 외쳤어요./ "늑대다, 늑대!"/ 마을 사람들이 도와 주러 뛰어왔어요./ 하지만 그건 거짓말이었어요./ 그들은 투덜대면서 마을로 돌아갔어요./ 소년은 그것이 아주 재미있어서 다시 마을을 향해 외쳤어요./ "늑대다, 늑대!"/ 마을 사람들이 그를 도와 주러 달려왔어요./ 하지만 그들은 다시 투덜대면서 마을로 돌아갔어요./ 곧 늑대가 진짜 나타났어요./ 늑대가 양들을 죽였어요./ 소년은 "늑대다, 늑대!" 라고 외쳤어요./ 하지만 아무도 도와 주러 오지 않았어요.

The boy found it was so much fun that he called out to the villagers again.

"Wolf, Wolf!"

The villagers came running to help him. But they went back to the village grumbling again.

Soon a wolf really came. The wolf killed the sheep. The boy cried,

"Wolf, Wolf!"

But no one came to his help.

14

고대 그리스의 이솝 우화

The Goose That Laid Golden Eggs

There was a lucky man who had a special goose.

Every day, the goose laid shining, golden eggs .

But the man felt the goose was too slow.

"You must lay eggs faster,"

해석 _황금알을 낳는 거위

아주 특별한 거위를 가진 운 좋은 남자가 있었어요./ 매일 그 거위는 반짝이는 황금알을 낳았어요./ 하지만 그 남자는 거위가 너무 느리다고(느리게 황금알을 낳는다고) 생각했어요./ "알을 더 빨리 낳아야 해." 라며 남자는 거위에게 야단쳤어요./ 하지만 거위는 여전히 너무 천천히 알을 낳았어요./ 남자는 더 이상 기다릴 수 없었어요./ 그래서 황금창고를 찾으려고 거위를 죽였어요./ 하지만 거위 안에는 아무것도 없었어요./ 그 욕심 많은 사람은 자기가 축복받았었다는 것을 너무 늦게 깨달았어요.

the man scolded the goose.

But the goose still laid eggs too slowly.

The man couldn't wait any more.

So he killed the goose to find the golden store.

But nothing was inside her.

The greedy man was too late to learn that he had been blessed.

15 프랑스의 페로 동화

Cinderella

The prince  ordered his man , "Bring me the lady who owns this glass slipper ."

The man knocked on every door .

At last, he came to Cinderella's house .

Her two sisters tried to force their feet

해석 _신데렐라

왕자는 신하에게 명령했어요./ "이 유리 구두의 아가씨를 내게 데려오너라."/ 그 신하는 집집마다 방문했어요./ 마침내 신데렐라의 집에 왔어요./ 두 언니는 유리 구두에 발을 억지로 넣어 보려 했지만 성공하지 못했어요./ "제가 신어 볼게요." 신데렐라가 그에게 말했어요./ 그는 신데렐라를 앉히고 신을 신어 보도록 했어요./ 그 신은 신데렐라의 발에 꼭 맞았어요./ 두 언니들은 아주 크게 놀랐어요./ 그러나 신데렐라가 호주머니에서 다른 신발 한 짝을 꺼냈을 때 그들은 더욱더 놀랐어요.

into the slipper, but they didn't succeed.

"Let me try it," Cinderella said to him.

He had Cinderella sit down to try it.

The slipper was a perfect fit.

Her two sisters were greatly surprised.

But they were more surprised when Cinderella pulled out the other slipper from her pocket.

16

고대 그리스의 이솝 우화

The Lion and the Mouse

A little mouse woke up a sleeping lion.

The lion grabbed the mouse by its tail.

"Mr. Lion, please let me go. Someday I'll repay your gratitude."

The lion laughed and let him go.

해석 _사자와 쥐

작은 쥐가 잠자는 사자를 깨웠어요./ 사자는 쥐꼬리를 잡았어요./ "사자님, 제발 놓아 주세요. 언젠가 당신의 은혜에 꼭 보답할게요."/ 사자는 웃으며 쥐를 놓아 주었어요./ 며칠 뒤 사자는 사냥꾼에게 잡혀 나무에 묶였어요./ 쥐가 마침 그 사자를 보았어요./ 쥐는 이빨로 동아줄을 갉아 사자를 풀어 주었어요./ "강한 자와 약한 자는 서로 도와야 해요." 라고 쥐가 말했어요.

Some days later, the lion was captured by a hunter and tied to a tree .

The mouse happened to see the lion . He gnawed through the ropes with his teeth and set the lion free.

"The strong and the weak must help each other," the mouse said.

17

고대 그리스의 이솝 우화

The Fox Without a Tail

A fox got caught in a trap and lost his tail.

After that, his friends laughed at him.

'If the other foxes had their tails cut off, they wouldn't make fun of me any more,' the fox thought.

해석 _꼬리를 잃은 여우

여우 한 마리가 덫에 걸려 꼬리를 잃었어요./ 그 후 친구들은 여우를 비웃기 시작했어요./ '다른 여우들도 꼬리를 자른다면 더 이상 날 비웃지는 못 하겠지.' 여우는 생각했어요./ 그래서 여우는 다른 여우들을 불러 놓고 말했어요./ "왜 무거운 꼬리를 달고 있니?/ 꼬리는 안 예뻐./ 또 쓸 데도 없어./ 꼬리를 잘라 버려."/ 이 말을 듣고 늙은 여우가 말했어요./ "네가 꼬리를 잃기 전에는 그렇게 말하지 않았어./ 우리는 꼬리를 자르는 것보다 달고 있는 게 더 좋아."

So he called the other foxes together and said, "Why are you wearing those heavy tails? They don't look pretty. They aren't useful. Cut off your tails!"

Hearing this, an old fox said, "You never spoke like that before you lost your tail. We prefer carrying our tails to cutting them off."

18

동유럽의 전래 동화

The Fox and the Hedgehog

A fox met a hedgehog.

"How many talents do you have?"

the fox said.

"Only three. How about you?"

the hedgehog said.

"I have seventy-seven," the fox  boasted.

해석 _여우와 고슴도치

여우가 고슴도치를 만났어요./ "너는 재주가 몇 개나 있니?" 여우가 물었어요./ "세 개밖에 없어. 너는 어때?" 고슴도치가 말했어요./ "나는 일흔일곱 개나 있어," 여우가 자랑했어요./ 둘은 함께 계속 가다 구멍에 빠졌어요./ "날 여기서 나가게 도와 주면 내가 널 도와 줄게," 고슴도치가 말했어요./ 여우는 고슴도치를 구멍에서 나가도록 도와 준 뒤 자기를 도와 달라고 했어요./ "일흔일곱 개 재주를 가진 네가 널 돕지 못하는데 내가 어떻게 널 도와 주겠니?" 라고 고슴도치는 말하고는 가 버렸어요.

As they kept walking together, they fell into a hole.

"Please help me get out of here. Then I'll help you," the hedgehog said.

So the fox helped the hedgehog get out of the hole and then asked the hedgehog to help him.

"How can I be helpful to you if you can't help yourself with seventy-seven talents?" the hedgehog said and then went away.

19

고대 그리스의 이솝 우화

The Fox and the Stork

The fox invited the stork to dinner.

The fox just gave the stork some soup in a broad, flat dish.

"Help yourself to the soup,"

the fox said.

The stork tried to taste the soup, but the soup just dripped down from his long

해석 _여우와 황새

여우가 저녁 식사에 황새를 초대했어요./ 여우는 황새에게 넓고 평평한 접시에 수프를 담아 주었어요./ "맘껏 드세요."라고 여우가 말했어요./ 황새는 수프를 맛보려고 애썼지만 수프는 긴 부리에서 뚝뚝 떨어졌어요./ 이번에는 황새가 여우를 저녁 식사에 초대했어요./ 황새는 여우에게 길고 좁은 목을 가진 커다란 병에 수프를 담아 주었어요./ 여우는 병 속으로 입을 넣으려고 애썼지만 넣을 수가 없었어요.

bill .

The stork, in turn, invited the fox to dinner.

The stork gave the fox some soup in a tall jar with a long, narrow neck.

The fox tried to put his mouth in the bottle, but he couldn't do it.

고대 그리스의 이솝 우화

20 The Fox, the Cock and the Dog

One night, a fox was prowling around a farm. He saw a cock sitting high beyond his reach.

"Good news!" the fox shouted. "King Lion ordered us beasts not to hurt birds any more. Now you and I are friends."

해석 _여우, 수탉 그리고 개

어느 날 밤 여우가 농장 주위를 어슬렁대고 있었어요./ 여우는 자기가 닿을 수 없는 높은 곳에 앉아 있는 수탉을 보았어요./ "좋은 소식이야." 여우가 외쳤어요./ "사자왕이 더 이상 우리 맹수들이 새들을 헤치지 말라고 명령하셨어./ 이제 너와 나는 친구야."/ "정말 좋은 소식이네." 수탉이 말했어요./ "친구한테 좋은 소식을 알려야겠어./ 누가 오나 보자./ 오, 주인집 개가 우리 쪽으로 오는 게 보여."/ 여우는 그 말을 듣더니 도망가기 시작했어요./ "그 개는 틀림없이 아직 그 뉴스를 못 들었다고." 여우가 말했어요

"That is really good news,"
the cock said.

"I want to share the good news with my friends. Let's see who is coming. Oh, I can see my master's dog coming towards us."

The fox began to run away when he heard that.

"I'm sure the dog hasn't heard the news yet,"
the fox said.

21

Hansel and Gretel

Hansel and Gretel followed a bird until they reached a little house made with bread and cakes.

They started to nibble at the house .

A soft voice came from the house at that moment.

"Who is eating my house?"

해석 _헨젤과 그레텔

헨젤과 그레텔은 빵과 케이크로 만들어진 작은 집에 이를 때까지 그 새를 따라갔어요./ 그들은 그 집을 야금야금 먹기 시작했어요./ 그 때 집 안에서 부드러운 목소리가 흘러나왔어요./ "누가 내 집을 먹고 있지?"/ "바람이에요." 라고 아이들이 대답했어요./ 그들은 신경 쓰지 않고 계속 먹었어요./ 갑자기 문이 열렸어요./ 아주 늙은 할머니가 기듯 나왔어요.

"The wind," the children answered.

They continued to eat without disturbing themselves.

Suddenly, the door opened.

A very old woman crept out from the house.

22

고대 그리스의 이솝 우화

Belling the Cat

The mice had a meeting on how to be safe from the cat.

"I'm afraid of the cat. He cut my tail off," one mouse said.

"We need a way to know that the cat is coming," another mouse said.

The mice talked and talked but

해석 _고양이 목에 방울 달기

쥐들이 모여 어떻게 하면 고양이로부터 안전하게 살 수 있을까 회의를 했어요./ "나는 고양이가 무서워요./ 내 꼬리를 잘랐어요." 한 쥐가 말했어요./ "고양이가 오는 것을 알려 주는 방법이 필요해요." 다른 쥐가 말했어요./ 쥐들은 계속 이야기를 나눴지만 좋은 생각이 떠오르지 않았어요./ "고양이 목에 방울을 다는 게 어때요?/ 방울이 고양이가 오는 것을 알려 줄 거예요." 한 젊은 쥐가 말했어요./ "그거 정말 좋은 생각이다!" 모두가 그의 말에 동의했어요./ 갑자기 늙은 쥐가 일어나서 말했어요./ "그런데, 누가 고양이 목에 방울을 달지?"

couldn't think of a good idea.

"How about putting a bell on the neck of the cat? The bell will tell us he's coming," a young mouse said.

"What a good idea!" everybody agreed with him.

Suddenly, an old mouse stood up and said,

"Well, who will put the bell on the neck of the cat?"

23 고대 그리스의 이솝 우화 The Country Mouse and the City Mouse

The Country Mouse  went to the City Mouse's house. The City Mouse  took him to the kitchen, and they had some delicious food  together.

At that moment, they heard a dog barking  outside.

The Country Mouse  was shocked  at the sound.

After a while, the door flew open, and the big dog came into the kitchen.

"Run! Run!" the City Mouse shouted.

They ran into the nearest hole. The Country Mouse said to the City Mouse,

"I miss the country. I won't come back to the city."

해석 _시골쥐와 도시쥐

시골쥐가 도시쥐네 집에 갔어요./ 도시쥐는 그(시골쥐)를 부엌으로 데려가서 함께 맛있는 음식을 먹었어요./ 바로 그 때 그들은 밖에서 개 짖는 소리를 들었어요./ 시골쥐는 그 소리에 깜짝 놀랐어요./ 잠시 후 문이 휙 열리더니 커다란 개가 부엌으로 들어왔어요./ "뛰어! 뛰어!" 도시쥐가 소리쳤어요./ 그들은 가장 가까운 구멍으로 뛰어들어 갔어요./ 시골쥐는 도시쥐에게 얘기했어요./ "나는 시골이 그리워./ 다시는 도시에 오지 않을래."

24 그리스 신화 Pandora and the Mysterious Chest

Pandora kept wondering what was inside the chest.

Her curiosity got stronger day by day.

At last, Pandora opened the chest.

At first, there was sudden silence. But soon, the room was filled with screaming voices.

해석 _판도라와 신비한 상자

판도라는 상자 안에 무엇이 있는지 계속 궁금했어요./ 판도라의 호기심은 매일 커져 가기만 했어요./ 마침내 어느 날 판도라는 그 상자를 열었어요./ 처음에는 갑작스레 조용해졌지요./ 그러나 곧 방은 비명 소리로 가득 찼어요./ 무서운 것들이 방 안에 가득 했어요./ 판도라는 너무나도 무서웠고, 무엇을 해야 할지 몰랐어요./ 하지만 얼마 뒤 가까스로 상자 뚜껑을 닫았어요./ 상자에는 좋은 것이 단 하나 남아 있었어요./ 그것은 희망이었어요.

Dreadful creatures were all over the room.

Pandora was so terrified and didn't know what to do.

But after some time, she managed to close the lid of the chest.

There was only one good thing left in the chest.

It was hope.

25 유태인 전래 동화

The Two Crabs

Walk straight!

Please show me how to walk!

해석 _두 마리의 게

어느 날 엄마게와 아기게가 밖에 나와 아름다운 모래사장을 산책했어요./ "귀여운 아가," 엄마게가 말을 꺼냈어요./ "나는 네가 자랑스러워. 단지 좀 우아하게 걷도록 노력해 보렴./ 옆으로 걷지 말거라./ 똑바로 걸어야 해."/ "엄마" 아기게가 말했어요./ "엄마가 똑바로 걷는 방법을 보여 주시면 저도 바로 따라 할게요."

One day, Mama Crab and Baby Crab went out and took a walk on the beautiful sand.

"My dear," Mama Crab said,

"I'm proud of you, but try to walk gracefully. Don't walk from side to side.

You should walk straight."

"Mama," Baby Crab said,

"If you show me how to walk straight, I'll just follow you."

고대 그리스의 이솝 우화

26 The Hare and the Tortoise

A quick hare often made fun of a slow tortoise. One day, the tortoise said to the hare,

"Let's have a race."

"Why not?" the hare said.

The race started the next morning. The hare left the tortoise far behind. The hare got sleepy during the race. He decided to take a nap for a while.

When the hare woke up, he couldn't see the tortoise anywhere.

The tortoise was waiting for the hare at the finish line.

해석 _토끼와 거북

빠른 토끼가 느린 거북을 자주 놀렸어요./ 어느 날 거북은 토끼에게 말했어요./ "우리 경주하자."/ "좋아." 토끼가 말했어요./ 경주는 다음 날 아침에 시작되었어요./ 토끼는 거북을 저만치 뒤로 제쳤어요./ 토끼는 달리기를 하다 졸렸어요./ 토끼는 잠시 낮잠을 자기로 했어요./ 토끼가 잠에서 깨었을 때 어디서도 거북을 볼 수 없었어요./ 거북은 결승점에서 토끼를 기다리고 있었어요.

27

스위스의 전래 동화

William Tell

"You didn't bow to my hat, so you must be punished, but I'll give you a chance. I heard you are a very good marksman. Show me you can shoot an apple from your son's head," the governor ordered William Tell.

해석 _윌리엄 텔

"너는 내 모자에 절을 하지 않았으므로 벌을 받아야 한다./ 하지만 기회를 한 번 주겠다./ 나는 네가 아주 훌륭한 명사수라고 들었다./ 네 아들 머리 위에 놓인 사과를 쏘아 보아라." 총독이 윌리엄 텔에게 명령했어요./ 윌리엄 텔은 너무나 무서웠지만 선택의 여지가 없었어요./ 그의 아들은 머리에 사과를 얹고 나무 옆에 섰어요./ 그는 화살통에서 화살을 꺼냈어요./ 그는 천천히 목표를 조준한 뒤 화살을 쏘았어요./ 사과가 땅에 떨어졌어요./ 화살이 사과의 정 가운데를 뚫었어요.

William Tell was very terrified, but he had no choice. His son sat beside a tree with an apple on his head.

He took an arrow from his quiver. He took aim slowly and released the arrow. The apple fell to the ground. The arrow pierced the core of the apple.

28

고대 그리스의 이솝 우화

The Bundle of Sticks

An old man felt he was dying .

He called his three sons  into the room.

He ordered his servant to bring a bundle of wooden sticks.

"Break it," the father ordered his eldest son.

해석 _막대기 묶음

한 노인이 자신의 생명이 다 했음을 느꼈어요./ 그는 자신의 세 아들을 방으로 불렀어요./ 그는 하인을 시켜 나무토막 묶음을 가져오도록 했어요./ "이것을 부러뜨려라." 아버지는 큰 아들에게 명령했어요./ 아들은 최선을 다했지만 막대기는 부러지지 않았어요./ "하나씩 집어서 부러뜨려 보아라." 아버지가 다시 명령했어요./ 아들들은 묶음을 풀어서 하나씩 집었어요./ 막대기를 잡아당기자 쉽게 부러졌어요./ "내가 뜻한 바를 알겠느냐?" 아버지가 아들들에게 말했어요.

The son tried his best, but he couldn't break the sticks  .

"Each of you pick up  a stick. Then break them," the father ordered again.

The sons untied  the bundle and then each one picked up  a stick.

As they strained, the sticks broke  easily.

"You know what I mean?"

the father  said to his sons.

29

독일의 그림형제 동화

King Arthur and Excalibur

King Arthur broke his sword during a war.

So he was very depressed. His old adviser took him to the Lady of the Lake  .

"My lady, I broke my sword.

I need Excalibur," King Arthur said.

해석 _아더 왕과 엑스칼리버

아더 왕은 전쟁 중에 자신의 칼을 부러뜨렸어요./ 그래서 그는 매우 우울했어요./ 오래된 그의 참모가 그를 호수의 여신에게 데리고 갔어요./ "여신이시여, 제 칼이 부러졌어요./ 저는 엑스칼리버가 필요합니다." 라고 아더 왕이 말했어요./ "당신이 그 칼을 사용할 자격이 있다고 생각하세요?/ 만약 그렇다면 당신에게 칼을 주겠어요./ 하지만 당신의 과업(일)을 마치면 호수에 그것(칼)을 돌려 주세요."/ 호수에서 손 하나가 나오더니 그에게 엑스칼리버를 주었어요.

"Do you think you deserve the sword? If so, I'll give you the sword. But return it to the lake when you finish your work."

A hand appeared from the water and gave him Excalibur .

30

고대 그리스의 이솝 우화

The Ass in the Lion's Skin

An ass found a lion's skin which a hunter had put in the sun to dry.

The ass put on the lion's skin and walked through the forest.

The ass scared all the little animals.

He was so proud of himself.

해석 _사자의 탈을 뒤집어 쓴 노새

노새가 사자 가죽을 발견했어요./ 한 사냥꾼이 말리려고 햇볕에 내놓은 것이었어요./ 노새는 사자 가죽을 입고서 숲을 돌아다녔어요./ 작은 동물들이 모두 노새를 무서워했어요./ 그는 자신이 너무 자랑스러웠어요./ 그는 다른 동물들을 겁주는 것이 너무 재미있었어요./ 노새는 여우도 겁주려고 했어요./ 하지만 여우는 목소리 때문에 노새인지 알아차렸어요./ "너는 사자처럼 생겼어. 하지만 목소리는 노새구나."

He had much fun scaring the other animals.

The ass also tried to scare a fox.

But the fox recognized him by his voice.

"You look like a lion, but you sound like an ass."

31 독일의 그림형제 동화

Snow White

Snow White kept growing. She became more beautiful than the queen.

One day, the queen asked the mirror,

"Mirror, Mirror, who's the fairest of all?"

The mirror said,

"Queen, you are the fairest in this room. But Snow White is the fairest of all."

The queen grew green with envy.

After that, she hated Snow White very much.

해석 _백설 공주

백설 공주는 계속 자랐어요./ 그녀는 왕비보다 더 아름다워졌어요./ 어느 날 왕비는 거울에게 물었어요./ "거울아, 거울아, 이 세상에서 누가 가장 예쁘니?"/ 거울이 대답했어요./ "왕비님, 당신이 이 방에서는 가장 예뻐요./ 하지만 백설 공주가 이 세상에서 가장 예뻐요."/ 왕비는 질투로 새파랗게 질렸어요./ 그 후로 왕비는 백설 공주를 아주 많이 미워했어요.

32

고대 그리스의 이솝 우화

The Crow and the Pitcher

A thirsty crow saw a pitcher of water.

"I've got you," he sang happily.

But the crow couldn't drink the water. The water was just half full, and the mouth of the pitcher was too narrow, so he couldn't put his beak into the pitcher.

Suddenly, a good idea came to him.

He took some pebbles and dropped

them into the pitcher.

The more pebbles he dropped, the higher the water went.

At last, he could drink the water.

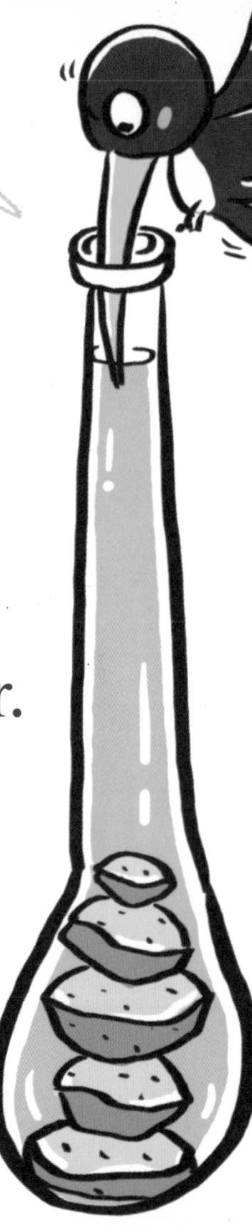

해석 _까마귀와 물병

목마른 까마귀가 물이 든 물병을 보았어요./ "너는 내 거야." 그는 신나서 노래를 불렀어요./ 하지만 까마귀는 그 물을 마실 수가 없었어요./ 왜냐하면 물은 반만 있었고 물병 입구가 너무 좁아 물병에 부리를 넣을 수가 없었어요./ 갑자기 그에게 좋은 생각이 떠올랐어요./ 까마귀는 자갈들을 물어 물병에 집어넣었어요./ 자갈을 떨어뜨리면 떨어뜨릴수록 물이 점점 더 높아졌어요./ 마침내 까마귀는 물을 마실 수 있었어요.

33 프랑스의 전래 동화

Stone Soup

Some soldiers came back from war. They were very tired and hungry.

But the villagers would not share their food with them.

"I have a good idea," a soldier said.

The soldiers told the villagers that

해석 _돌멩이 수프

전쟁터에서 군인들이 돌아왔어요./ 그들은 몹시 힘들고 배가 고팠어요./ 하지만 마을 사람들은 그들에게 음식을 나눠 주지 않았어요./ "좋은 생각이 있어." 한 군인이 말했어요./ 군인들은 마을 사람들에게 돌멩이 수프를 끓일 수 있다고 말했어요./ 마을 사람들은 돌멩이 수프가 뭔지 궁금했어요./ 군인들은 솥에다 물과 돌멩이들을 담았어요./ 한 여자가 수프에 넣을 소금과 후추를 가져왔어요./ 다른 사람은 수프에 넣을 양파를 가져왔어요./ 감자, 고기, 다른 것들도 가져왔어요./ "맛있다."/ 군인들과 마을 사람들은 함께 맛있는 식사를 했어요.

they could make stone soup. The villagers wondered what stone soup was.

The soldiers put some water and stones in a pot.

A woman brought salt and pepper for the soup. Another brought onions for the soup. Potatoes, meat, and more came after.

"Yummy!" The soldiers and the villagers had a delicious meal together.

34

고대 그리스의 이솝 우화

The Milkmaid and Her Pail

The milkmaid was going to market to sell her milk. She was carrying a pail of milk on her head.

As she walked along, she thought about what she would do with the money she would get for the milk. 'I'll buy some

해석 _우유 파는 아가씨와 우유통

우유 파는 아가씨가 우유를 팔러 시장에 가고 있었어요./ 그녀는 머리 위에 우유통을 이고 있었어요./ 아가씨는 걸어가면서 우유를 팔아 생긴 돈으로 무얼 할까 생각했어요./ '닭을 몇 마리 사야지./ 닭은 달걀을 낳겠지./ 그럼 난 달걀을 팔 거야./ 그 돈으로 예쁜 옷이랑 모자를 사야지./ 장에 갈 때마다 멋있는 총각들이 와서 말을 걸겠지./ 하지만 나는 모른 척 할 거야./ 머리를 이렇게 돌릴 거야.' 라고 말하면서 머리를 뒤로 돌렸어요./ 우유통이 바닥에 떨어졌어요./ 우유 파는 아가씨의 꿈은 길거리에 쏟아져 버렸어요.

chickens. The chicken will lay eggs, and then I will sell the eggs. With the money, I'll buy a pretty, new dress and a hat. Whenever I go to the market, many handsome young men will come and speak to me! But I won't care about them. I'll toss my head like this.'

As she spoke, she tossed her head back. The pail of milk fell down.

The milkmaid's dream spilled on to the street.

성경 이야기

35 King Solomon's Judgement

Two women with a baby came to King Solomon.

"This baby is mine," one woman said.

"No, she's lying. The baby is mine," another woman shouted.

King Solomon thought for a while, and then he said,

해석 _솔로몬 왕의 판결

두 여인이 아기를 데리고 솔로몬 왕에게 왔어요./ "이 아기는 제 아이예요." 한 여자가 말했어요./ "아니에요. 거짓말이에요./ 제 아기예요." 또다른 여자가 외쳤어요./ 솔로몬 왕은 한동안 생각하더니 말했어요./ "아기를 반으로 잘라 한 쪽씩 가져라."/ "안 돼요, 안 돼요. 아기를 저 여자한테 주세요." 두 번째 여자가 외쳤어요./ "이제야 누가 진짜 엄마인지 알겠구나." 솔로몬 왕이 두 번째 여인을 가리켰어요.

"Cut the baby in half, and give half to each women."

"No, no. Please give the baby to that woman," the second woman cried.

"Now I know who the real mother is." King Solomon pointed to the second woman.

36

고대 그리스의 이솝 우화

The Cat Girl

"Can a living thing change its nature?"

Jupiter  and Venus  asked.

"Yes, I think so," Jupiter  said.

"No, I don't think so," Venus  said.

They agreed to have a test.

Jupiter turned a cat  into a girl ,

해석 _고양이 처녀

"생명체들은 본성을 바꿀 수 있을까요?" 제우스와 비너스가 이야기를 하고 있었어요./ "암, 그렇다고 생각하오." 제우스가 말했어요./ "아니요. 저는 그렇지 않다고 생각해요." 비너스가 말했어요./ 그들은 실험을 해 보기로 했어요./ 제우스는 고양이를 처녀로 바꾼 뒤 그녀를 신부로 만들었어요./ 결혼식은 계속 되었고, 그 고양이 처녀는 정말 그럴 듯하게 행동했어요./ 바로 그 때, 비너스가 방 안에 쥐 한 마리를 뛰어들게 했어요./ 고양이 처녀는 자리에서 벌떡 일어서서 쥐를 잡으려고 했어요./ "본성은 바뀌지 않아요." 비너스가 말했어요.

and made her a bride.

The wedding was going on.

The cat girl behaved really well.

Just then, Venus had a mouse run into the room.

The cat girl jumped up from her seat and tried to catch the mouse.

"Nature doesn't change," Venus said.

37

고대 그리스의 이솝 우화

The Farmer and the Snake

One winter day, a farmer saw a snake freezing from the cold.

"I'm freezing to death. Please hold me," the snake said.

"What will I do if you bite me?" the farmer asked.

해석 _농부와 뱀

어느 겨울날 농부가 추위에 얼어붙은 뱀을 보았어요./ "저는 얼어 죽고 있어요. 절 안아 주세요." 뱀이 말했어요./ "네가 날 물면 어떡하니?" 농부가 말했어요./ "말도 안 돼요. 절 구해 주시면 물지 않을 거예요." 뱀이 말했어요./ 농부는 뱀을 꼭 껴안아 주자 뱀은 곧 회복되었어요./ 그런데 뱀이 농부를 물었어요./ "아, 어떻게 네가 나한테 이럴 수 있니?/ 나는 널 구해 주었는데." 농부가 외쳤어요./ "뱀은 뱀일 뿐이야./ 당신은 그걸 잊었어." 라고 뱀이 대답했어요.

"Nonsense! I won't do that if you save me," the snake said.

The farmer held him tight, and soon the snake got better.

But then the snake bit the farmer.

"Ah, how can you do this to me? I saved your life," cried the farmer.

"A snake is always a snake. You forgot that," the snake answered.

유태인 전래 동화

38 Footprints in the Snow

An old man was looking out the window.

"It's so beautiful. I don't want to dirty up the snow. How can I get to the rabbi?"

He happened to see his two sons sleeping.

해석 _눈 위의 발자국

한 노인이 창 밖을 보고 있었어요./ "너무 아름다워. 눈을 더럽히기 싫군. 어떻게 랍비한테 가지?"/ 그는 자고 있는 두 아들을 보게 되었어요./ "오, 좋은 생각이 났어."/ 그는 아들들을 깨웠어요./ 아들들은 어깨에 아버지를 얹고서 랍비집에 갔어요./ 아들들은 아버지를 집으로도 모셔 왔어요./ 노인은 집 앞 눈 위에 난 발자국을 보고 화가 났어요./ "누가 이 끔찍한 발자국을 남긴 거야?"

★랍비(rabbi)란 고대 유태인들이 스승처럼 따르며 가르침을 구하던 율법학자를 말해요.

"Oh, I have a good idea."

He woke up his sons.

The sons lifted their father up on their shoulders and went to the rabbi's house.

The sons carried their father home, too.

The old man saw the footprints in the snow in front of his house and got angry.

"Who made those terrible footprints?"

39

고대 그리스의 이솝 우화

The Lion in Love

A lion fell in love with a pretty girl.

He went to her parents  and said,

"Please let me marry her."

Her father  said,

"We're really happy to have a great son-in-law like you. But we're afraid that your sharp

해석 _사랑에 빠진 사자

사자가 예쁜 아가씨를 사랑하게 되었어요./ 그는 그녀의 부모님을 찾아가서 "아가씨와 결혼하게 해 주세요." 라고 말했어요./ 그녀의 아버지가 말했어요./ "당신처럼 위대한 사위를 맞는다면 우리는 정말 좋지요./ 하지만 사자님의 날카로운 발톱과 커다란 이가 우리 딸을 해치지나 않을까 걱정입니다./ 사자님이 발톱과 이를 뽑는다면 우리 사위가 될 수 있어요."/ 사자는 아가씨를 너무 좋아했기 때문에 발톱과 이를 뽑았어요./ 그리고 사자는 그녀의 부모를 다시 찾아갔어요./ 그녀의 부모는 사자를 비웃었어요.

claws and big teeth might hurt our daughter. If you have your claws and teeth pulled out, then you can be our son-in-law."

The lion loved her too much, so he had his claws and teeth pulled out.

Then he came back to see her parents again. Her parents just laughed at him.

40

영국의 전래 동화

Jack and the Beanstalk

Jack began to climb up and up the beanstalk.

Jack saw a castle at the top.

"Could you give me some food?" he said to the giant's wife standing at the door.

"Yes. But you should be careful. My husband

해석_잭과 콩나무

잭은 콩나무를 타고 올라가기 시작했어요./ 잭은 저쪽에서 성을 보았어요./ "먹을 것 좀 주시겠어요?" 그는 문에 서 있던 거인의 아내에게 말했어요./ "그래. 하지만 조심해야 한다./ 남편이 돌아오면 널 잡아먹을 거야."/ 거인의 아내는 푸짐한 식사를 주었어요./ 갑자기 문에서 끔찍한 노크 소리가 들렸어요./ "숨어! 남편이 왔어." 거인의 아내가 소리쳤어요./ 거인의 아내가 문을 열자마자 거인이 말했어요./ "피 파이 포 펌. 아이 냄새가 나./ 살았던 죽었던 뼈를 갈아 빵을 만들 거야."

will eat you when he returns."

She gave him a hearty meal.

Suddenly, they heard a terrible knock  at the door.

"Hide! My husband is back!" the giant's wife  shouted.

As soon as she opened  the door, the giant  said,

"Fee, fi, fo, fum, I smell the blood of a kid. Be he alive, or be he dead, I'll grind his bones to make my bread."

41

고대 그리스의 이솝 우화

The Wolf in Sheep's Clothing

A wolf saw some sheep in the meadow.

But he couldn't get close to them because of the shepherd and his dogs.

One day, the wolf found the skin of a sheep.

해석 _양털을 입은 늑대

늑대 한 마리가 들판에 있는 양 떼를 보았어요./ 하지만 양치기와 그의 개들 때문에 가까이 갈 수가 없었어요./ 어느 날 늑대는 양털을 발견했어요./ 그는 양털을 훔쳐 입었어요./ "음, 정말 멋진 양인걸." 늑대가 말했어요./ 늑대는 양 떼 사이를 걸어 다녔어요./ 얼마 지나지 않아 어린 양 한 마리가 늑대를 따라다니기 시작했어요./ 그는 어린 양을 어디론가 데리고 간 다음 잡아먹었어요./ 그 후 늑대는 계속해서 다른 어린 양들을 먹어치웠어요.

He stole the skin and put it on.

"I am such a lovely sheep!"

the wolf said.

He walked among the sheep.

Soon, a lamb began to follow the wolf. He led it somewhere and then ate it. The wolf ate some more lambs after that.

42 독일의 그림형제 동화

The Wolf and the Seven Kids

Someone knocked at the door .

(Knock! Knock!)

"Who's there?"

"It's me."

"Me? Who?"

"It's mother,"

the wolf  bleated like the goat's mom .

해석 _늑대와 일곱 마리 아기염소

누군가 문을 두드렸어요./ "똑똑"/ "누구세요?"/ "나다."/ "나? 누구요?"/ "엄마다." 늑대는 엄마염소처럼 울었어요./ "발을 보여 주세요." 한 아기염소가 말했어요./ 발은 진짜 엄마 발처럼 보였어요./ 하지만 벽에 구멍이 있었고 그 구멍으로 늑대가 보였어요./ "가 버려. 나쁜 늑대야." 아기염소들이 소리쳤어요.

"Show us your foot," said a kid.

The foot really looked like their mother's.

But there was a hole in the wall, and the kids saw the wolf through it.

"Go away, you bad wolf,"

the kids shouted.

43

고대 그리스의 이솝 우화

The Fisherman and the Little Fish

A fisherman fished all day long but only caught one little fish.

"It is so small!"

the fisherman  muttered.

"You are right," said the little fish .

"I am too small for you to eat.

해석 _어부와 작은 물고기

어부가 하루 종일 낚시를 했어요./ 그런데 겨우 작은 물고기 한 마리를 잡았어요./ "정말 작네." 어부는 중얼거렸어요./ "예, 맞아요." 작은 물고기가 말했어요./ "저는 먹기에 너무 작아요./ 저를 놓아 주세요./ 나는 빨리 자랄 거예요./ 그러면 푸짐한 식사를 드실 수 있어요." / "아니야. 작은 물고기야." 어부가 말했어요./ "네 말은 그럴 듯 하구나./ 하지만 널 다시 볼 수는 없을 것 같구나."/ 어부는 작은 물고기를 통에 담아 서둘러 집으로 갔어요.

Please let me go.

I'll grow soon. Then you can make a big meal of me."

"No, little fish," said the fisherman .

"You sound great. But I don't think I will see you again."

The fisherman put the little fish in a pail and hurried home.

성경 이야기

44 Adam and Eve

"This fruit will make you wise like God," the snake told Eve.

Eve stepped forward to the tree.

The fruit smelled good.

She picked the fruit and took a bite of it.

해석 _아담과 이브

"이 과일은 너를 신처럼 현명하게 만들어 줄 거야." 라고 뱀이 이브에게 말했어요./ 이브는 나무 앞으로 다가갔어요./ 과일 냄새가 좋았어요./ 그녀는 과일을 따서 한 입 깨물었어요./ 아담이 돌아오자 이브는 그 과일을 그에게 주었어요./ 그런데 두 사람이 그 과일을 먹자마자 처음으로 부끄러움을 느꼈어요./ 그들은 무화과 잎을 찾아 몸을 가렸어요.

When Adam returned,
Eve gave the fruit to him.

But as soon as they ate the fruit, they felt shy for the first time.

They found fig leaves and covered themselves.

고대 그리스의 이솝 우화

45 The Eagle and the Kite

"You look so sad. What's wrong with you?" the kite asked the eagle.

"I can't find a true friend," the eagle answered.

"I can be your friend. I can even bring an ostrich for you," the kite boasted.

해석 _독수리와 연

"슬퍼 보이는구나. 무슨 일이 있니?" 연이 독수리에게 물었어요./ "진정한 친구를 찾을 수가 없어." 독수리가 말했어요./ "나는 너의 친구가 될 수 있어./ 난 너한테 타조도 데려다 줄 수 있어." 연이 자랑했어요./ 그래서 독수리와 연은 친구가 되었어요./ 곧 독수리가 연에게 말했어요,/ "네가 말한 것처럼 타조를 데려다 줘."/ 연은 하늘 높이 날아서 멀리 갔어요./ 하지만 연은 조그만 쥐 한 마리를 독수리에게 가져다 줬어요./ "너는 약속을 지키는 친구가 아니야." 독수리가 연을 비난했어요./ "난 내가 약속을 지킬 수 있는지에 대해선 신경 쓰지 않았어./ 단지 친구가 되고 싶어서 거짓말을 했어." 연이 말했어요.

So the eagle and the kite became friends. Soon the eagle said,

"Bring me an ostrich as you said."

The kite flew high and went away.

But it just brought a little mouse to the eagle.

"You aren't a faithful friend," the eagle blamed the kite.

"I didn't care whether I could keep my promise. I just told a lie to be your friend," the kite said.

덴마크의 안데르센 동화

46 The Emperor's New Clothes

The two men looked busy cutting and sewing something.

But there was nothing in the room.

"The clothes are ready,"

they said at last.

The two men came into the room as if

해석 _임금님의 새 옷

두 사람은 바쁘게 뭔가를 자르고 박음질하는 것처럼 보였어요./ 하지만 방에는 아무것도 없었어요./ "옷이 다 되었습니다." 드디어 그들이 말했어요./ 두 사람은 마치 뭔가를 안은 것처럼 방에 들어왔어요./ "임금님, 이 아름다운 옷들 좀 보세요./ 거미줄처럼 가볍답니다." 그들은 자랑스레 말했어요./ 임금님은 옷을 벗고 새 옷을 입었어요./ "굉장해요." "너무 멋져요." 그 방에 있는 사람들이 환성을 질렀어요.

they were holding something.

"My king, please look at these beautiful clothes. These are as light as a spider's web," they said proudly.

The king took off his clothes and put on the new clothes.

"Marvelous!"

"Fantastic!"

The people in the room cheered.

47

고대 그리스의 이솝 우화

The Peacock Who Complained to Juno

One day, a peacock complained to Juno.

"Goddess, I hate my voice. Nightingales don't look pretty, but everybody loves their voices."

Juno replied angrily.

"Be quiet! You look as beautiful

해석 _헤라에게 불평한 공작새

하루는 공작새가 헤라신에게 불평을 했어요./ "여신님, 저는 제 목소리가 싫어요./ 나이팅게일은 예쁘진 않지만 모두들 그 목소리를 좋아해요."/ 헤라신은 화가 나서 대답했어요./ "입 다물라./ 너는 보석처럼 아름답다./ 너는 사람들의 눈을 즐겁게 하지 않느냐./ 모든 재능을 다 갖고 있는 동물은 없다./ 우리 신은 너희들에게 한 가지 선물만 준다./ 불평을 그만두지 않으면 네 아름다운 깃털을 빼앗아 버리겠다."

as a jewel.
You give joy to people's eyes. No animals can have all abilities. We gods give each of you just one gift. If you don't stop complaining, I'll take your beautiful feathers away."

48

유태인 전래 동화

The Rabbi and the Wagon Driver

The wagon driver said to the rabbi, "Rabbi, I'm so sad. People always admire you but ignore me. If I could wear your clothing, they would think I'm the rabbi and would admire me."

The rabbi said, "Good! Let's switch cloth-

해석 _랍비와 마부

마부가 랍비에게 말했어요./ "랍비님, 저는 슬퍼요. 사람들이 항상 당신은 존경하고 저는 무시해요./ 만약 제가 당신의 옷을 입으면 사람들이 절 랍비라고 생각하고 절 존경할 거예요."/ "좋아. 옷을 바꿔 입자./ 그런데 사람들이 어려운 질문을 하면 어떻게 할 거야?" 랍비가 말했어요./ "걱정 마세요." 마부가 말했어요./ 그들은 마을에 도착했어요./ 마을 사람들은 마부는 환영하고 랍비는 무시했어요./ 마을 사람들은 아주 어려운 질문을 마부에게 했어요./ "그건 내 마부조차는 아는 쉬운 답이야./ 그에게 가 물어 봐." 마부가 대답했어요.

ing . But what will you do if people ask you a difficult question?"

"Don't worry," the driver said.

They arrived at the village.

The villagers welcomed the driver but ignored the rabbi.

The villagers asked a very difficult question to the driver.

"It's so easy that even my driver knows the answer. Go, and ask him," the driver answered.

49 러시아의 전래 동화

The Enormous Turnip

An old man planted a turnip seed.

The turnip grew bigger and bigger.

The old man tried to pull on the turnip leaves, but it wouldn't come out.

He quickly called his wife.

He pulled on the turnip leaves, and his wife

해석 _커다란 순무

한 노인이 순무 씨를 심었어요./ 순무는 점점 크게 자랐어요./ 할아버지는 무 잎사귀를 잡아당겼지만 순무는 뽑히지 않았어요./ 그는 재빨리 그의 아내를 불렀어요./ 그는 무 잎사귀를 잡아당기고 그의 아내는 그를 잡아당겼지만 순무는 뽑히지 않았어요./ 그녀는 재빨리 개를 불렀어요./ 할아버지, 할머니, 개가 애썼지만 순무는 뽑히지 않았어요./ 개는 고양이를 불렀어요./ 할아버지, 할머니, 개, 고양이가 순무를 잡아당기고 또 잡아당겼어요./ "쿵" 순무가 쑥 하고 나왔어요.

pulled him, but the turnip wouldn't come out.

She quickly called her dog.

The old man, the old woman and the dog tried, but the turnip wouldn't come out.

The dog called the cat.

The old man and woman, the dog, and the cat pulled and pulled the turnip.

"Zaboom!"

The turnip popped out.

50

고대 그리스의 이솝 우화

The North Wind and the Sun

The north wind and the sun disputed which was the more powerful.

"Let's have a game. The one who is the first to make a traveler take off his coat is the winner," the wind said.

"Okay!" the sun  agreed.

해석_북풍과 해님

북풍과 해님이 누가 더 힘이 센지 말싸움을 하고 있었어요./ "게임을 하자./ 나그네의 외투를 먼저 벗기는 사람이 이기는 거야." 바람이 말했어요./ "좋아." 해님이 동의했어요./ 한 명의 나그네가 그들 쪽으로 왔어요./ 먼저 바람이 바람을 불어 댔어요./ 하지만 나그네는 코트를 단단히 여몄어요./ 이제 해님의 차례예요./ 해님이 힘껏 열을 뿜었어요./ 나그네가 외투를 벗었어요.

A traveler came on his way. The wind blew and blew. But the traveler wrapped his coat tightly around him.

Then it was the sun's turn. The sun made it very warm. The traveler took off his coat.

51

일본의 전래 동화

The Crane Wife

"Please weave some more cloth. We could be rich," the farmer said to his wife.

"Yes. I'll weave just one more," his wife answered sadly.

She started to weave in the room.

The farmer wanted to see what was

해석 _두루미 아내

"천을 더 짜 주오. 우리는 부자가 될 수 있어요." 농부는 아내에게 말했어요./ "좋아요. 하지만 단 한 번이에요." 그녀가 슬프게 대답했어요./ 그의 아내는 방에서 천을 짜기 시작했어요./ 농부는 방 안에서 어떤 일이 벌어지고 있는지 보고 싶었어요./ 아내가 왜 천을 짜고 나면 더 야위어지는지 궁금했어요./ 드디어 그는 머리를 방 안으로 쑥 집어 넣었어요./ "아, 세상에!"/ 피 흘리는 하얀 두루미가 방에서 천을 짜고 있었어요.

going on inside.

He wondered why his wife got thinner after she weaved.

At last, he poked his head into the room.

"Oh, my gosh!"

A bleeding white crane was weaving in the room.

Is she a crane?

고대 그리스의 이솝 우화

52 The Man and the Woods

A man came into the woods with an ax. The ax had no handle. The man said to the trees,

"Please give me a branch. I'm going to make something."

"Why not? Here you are," the trees gave him one of their branches.

해석 _남자와 숲

한 남자가 도끼를 들고 숲으로 들어왔어요./ 손잡이가 없는 도끼였어요./ 그 남자는 나무들에게 말했어요./ "나뭇가지 한 개만 주세요./ 뭔가 만들려고 해요."/ "왜 안 되겠어요? 여기 있어요." 나무들은 나뭇가지 중 한 개를 주었어요./ 남자는 그 나뭇가지로 도끼를 고치더니 숲에 있는 나무를 베기 시작했어요./ "우리가 너무 바보였어." 죽어가는 나무들이 말했어요.

The man fixed the ax to the branch and then began to cut down the trees.

"We were so foolish," the dying trees said.

53

독일의 그림형제 동화

The Twelve Dancing Princesses

The twelve princesses  looked at the snoring soldier.

As soon as they went out of the room, the soldier opened his eyes.

He threw his magic cloak around his shoulders and started to follow the twelve princesses.

해석 _춤추는 열두 공주

열두 공주는 코 고는 병사를 보았어요./ 그들이 방을 나가자마자 병사는 눈을 떴어요./ 그는 요술 망토를 어깨에 두르고 열두 공주를 따라 가기 시작했어요./ 계단에서 병사는 가장 어린 공주의 드레스를 밟았어요./ "누가 우릴 따라 오고 있어요!" 가장 어린 공주가 소리쳤어요./ 하지만 가장 나이 많은 공주는 그녀의 말을 믿어 주지 않았어요./ 그러나 가장 어린 공주는 뭔가 잘못되어 가는 것을 느꼈어요.

On the stairs, the soldier stepped on the youngest princess's dress.

"Someone is following us!"

the youngest princess shouted.

But the eldest princess didn't believe her.

However, the youngest princess felt

something was wrong.

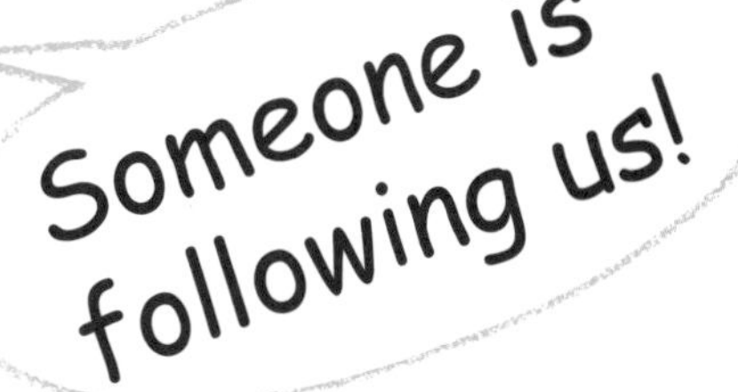

고대 그리스의 이솝 우화

54 The Nanny and the Wolf

"Please be quiet," said the nanny  to the crying baby  in her arms, "If you cry again, I'll give you to a wolf." A wolf overheard what she was saying. "That sounds great," the wolf said and smiled.

해석_유모와 늑대

"조용히 하렴." 유모가 자기 팔 안에서 울고 있는 아기에게 말했어요./ "다시 울면 늑대에게 줘 버린다."/ 늑대는 유모가 하는 말을 엿들었어요./ "신난다." 늑대가 웃었어요./ 늑대는 아기가 다시 울 때까지 기다리기로 했어요./ 드디어 아기가 다시 울기 시작했어요./ 늑대는 좋아라 창문가로 가서 꼬리를 흔들었어요./ "도와 주세요. 도와 주세요." 유모가 늑대를 보자마자 비명을 질렀어요./ 그 집의 개들이 뛰어왔고 늑대는 도망쳤어요.

He decided to wait until the baby cried again.

At last, the baby started to cry again. The wolf happily walked to the window and wagged his tail.

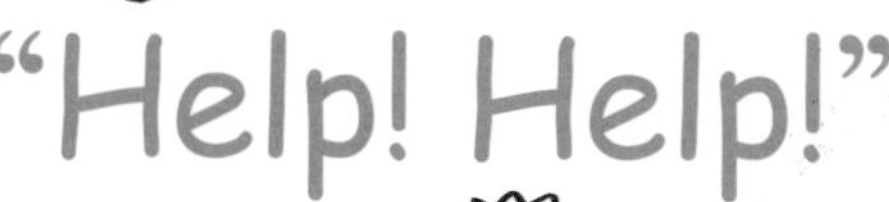

"Help! Help!"

the nanny screamed as soon as she saw the wolf.

The dogs in the house came running, and the wolf ran away.

유태인 전래 동화

55 The Stonecutter

One day, a stonecutter saw the king.
"He looks strong. I wish I were the king."
His wish came true, and he became the king.
The king saw the sun in the sky.
"The sun looks stronger than the king.
"I wish I were the sun."

해석 _돌 캐는 사람

어느 날 돌 캐는 사람이 왕을 보았어요./ "왕은 강해 보여./ 나도 왕이 되었으면 좋겠어."/ 소원이 이루어져 그는 왕이 되었어요./ 왕은 하늘의 해님을 보았어요./ "해님이 왕보다 더 강해 보여./ 해님이 되었으면 좋겠어."/ 해님은 구름이 자기를 가리는 것을 보았어요./ "구름이 해님보다 더 강해 보여./ 구름이 되었으면 좋겠다."/ 구름은 큰 산에 닿았어요./ "산이 구름보다 더 강해 보여./ 산이 되었으면 좋겠어."/ 산은 돌 캐는 사람이 산에서 돌을 잘라 내는 것을 보았어요./ "그래. 돌 캐는 사람이 가장 강해."/ 그는 다시 돌 캐는 사람이 되었어요.

The sun saw a cloud that covered it.
"The cloud looks stronger than the sun.
I wish I were the cloud."

The cloud came to a big mountain.
"The mountain looks stronger than the cloud.
I wish I were the mountain."

The mountain saw a stonecutter who was cutting stone out of the mountain.
"The stonecutter is the strongest of all."
He became a stonecutter again.

고대 그리스의 이솝 우화

56 The Miser and His Gold

A miser liked hiding his gold under a tree in his garden.

He never used his treasure.

He just dug it up and looked at the gold happily.

A robber saw what he was doing and

해석 _구두쇠와 금

한 구두쇠가 정원에 있는 나무 아래 금을 숨기는 것을 좋아했어요./ 구두쇠는 보물을 절대 쓰지 않았어요./ 단지 땅을 파서 금을 행복하게 보기만 했어요./ 도둑이 그가 하는 짓을 보고 금을 훔쳐 갔어요./ 구두쇠는 금을 숨겼던 장소에 난 큰 구멍을 보았어요./ "내 금을 누가 훔쳐 갔지?" 그는 울고 또 울었어요./ 이웃 사람들이 그의 집으로 달려왔고 구두쇠는 모든 것을 이야기했어요./ "그 금은 땅에만 두었기 때문에 당신한테 쓸모 없는 것이었어요. 그 구멍을 보고 금이 안에 있다고 생각해요." 라고 한 사람이 말했어요.

stole the gold.

The miser saw a big hole where he hid his gold.

"Who stole my gold?"

he cried and cried.

His neighbors came running to his house, and the miser told them everything.

"The gold was no use to you because you had it in the ground.

Just look in the hole, and think about the gold inside it," a neighbor said.

57

성경 이야기

Noah's Ark

The animals came into the ark from everywhere.

When Noah's family and all the animals were aboard the ark, the rain began to fall.

It rained and rained night and day. The water rose and rose.

해석 _노아의 방주

도처에서 동물들이 방주로 들어왔어요./ 노아의 가족과 동물들이 방주에 다 탔을 때 비가 내리기 시작했어요./ 밤과 낮으로 비가 내리고 또 내렸어요./ 물이 오르고 또 올랐어요./ 물이 모든 것 위로 넘쳤어요./ 물이 땅을 덮었어요./ 땅에 있는 모든 것들이 물에 잠겼어요./ 노아의 방주는 홀로 파도 위를 떠돌았어요.

Water flowed over everything.

Water covered the earth. Everything on the earth drowned.

Noah's ark alone floated across the waves.

58

고대 그리스의 이솝 우화

Thoth and the Woodcutter

A woodcutter lost his ax in the water. When he cried, a god named Thoth appeared.

Thoth brought him a gold ax.

"Is this your ax?"

he asked the woodcutter.

해석 _토스 신과 나무꾼

한 나무꾼이 강물에 도끼를 빠뜨렸어요./ 그가 울고 있을 때 토스란 이름의 신이 나타났어요./ 토스 신은 나무꾼에게 금도끼를 가져왔어요./ "이것이 네 도끼냐?" 라고 나무꾼에게 물었어요./ "아니오, 제 것이 아닙니다." 라고 그가 말했어요./ 토스 신은 은도끼를 가져왔어요./ "이것이 네 도끼냐?" 라고 그에게 물었어요./ "아니오, 제 것이 아닙니다." 그가 대답했어요./ 토스 신은 나무꾼의 도끼를 가져왔어요./ "이것이 네 도끼냐?" 라고 그에게 물었어요./ "네, 제 것입니다." 그가 대답했어요./ "너는 참 정직하구나. 이 금도끼와 은도끼도 가져가거라." 토스신이 그에게 말했어요.

"No, it's not mine," he said.

Thoth brought him a silver ax.

"Is this your ax?" Thoth asked him.

"No, it's not mine," he said.

Thoth brought the woodcutter's ax.

"Is this your ax?" Thoth asked him.

"Yes, it's mine," he said.

"You are very honest. Take the gold ax and the silver ax as well," Thoth said to him.

59 유태인 전래 동화

Could Anything Be Worse?

A family of nine lived in a small house. One day, the father asked the rabbi "Rabbi, my house is too crowded. What should I do?"

The rabbi said, "Bring a chicken into your house."

해석_이보다 더 나쁠 수 있을까?

아홉 식구가 조그만 집에서 살았어요./ 하루는 아버지가 랍비를 찾아갔어요./ "랍비, 제 집이 너무 좁아요. 어떻게 하면 좋을까요?"/ 랍비가 말했어요./ "닭 한 마리를 집 안에 들여라."/ 그는 무슨 뜻인지 이해하지 못했지만 그렇게 했어요./ 다음 날 그 남자는 또 랍비를 찾아갔어요./ "당나귀 한 마리를 집 안에 들여라." 랍비가 말했어요./ 그는 일 주일 동안 랍비를 찾아갔고 모든 동물들을 집 안으로 들였어요./ 다음 날 랍비가 말했어요./ "모든 동물들을 밖으로 끌어 내거라."/ "와, 우리 집이 전보다 훨씬 넓어졌어!" 그 남자는 감탄했어요.

He didn't understand but did so.

The next day, he went to the rabbi again.

"Bring a donkey into the house,"
the rabbi said.

He went to the rabbi for seven days and soon had all his animals in the house.

The next day, the rabbi said,
"Take all the animals out."

"Wow! My house has much more room than before!"
the man admired.

독일의 그림형제 동화

60 The Bremen Town Musicians

The tallest donkey peeked inside the house.

"I can see a table and a robber is sitting at it," the donkey said to the animals.

They talked about how to drive away the robber.

The donkey put his front feet up on the window ledge. The dog jumped on the donkey's back. The cat climbed up on the dog. The cock flew up on the head of the cat.

And then, they began to sing together.

"Bray! Bray!"

"Bark! Bark!"

"Meow! Meow"

"Crow! Crow!"

해석 _브레멘 음악대

키가 가장 큰 당나귀가 집 안을 엿보았어요./ "테이블이 보이고, 도둑이 테이블에 앉아 있어."/ 당나귀가 동물들에게 말했어요./ 그들은 어떻게 하면 도둑들을 몰아낼 수 있을까 얘기했어요./ 당나귀는 앞발을 창문틀에 놓았어요./ 개는 당나귀 등에 훌쩍 올라탔어요./ 고양이는 개 위에 기어서 올라가도록 했어요./ 수탉은 고양이 머리 위로 날아 올라갔어요./ 그리고 동물들은 함께 합창했어요./ "히잉!히잉!" "멍!멍!" "야옹!야옹!" "꼬끼오!꼬끼오!"

61

고대 그리스의 이솝 우화

The Donkey and the Pet Dog

A man had a donkey and a pretty pet dog. The donkey stayed in a stable. And he had much work to do from early morning to night. But the dog was loved by the master. The donkey was jealous of the dog.

해석 _당나귀와 애완견

한 남자가 당나귀와 애완견을 가지고 있었어요./ 당나귀는 마구간에서 지냈어요./ 당나귀는 아침부터 저녁까지 할 일이 많았어요./ 하지만 개는 주인의 사랑을 받았어요./ 당나귀는 개에게 질투가 났어요./ 어느 날 당나귀는 개가 하듯 주인의 주위를 껑충껑충 뛰었어요./ 하지만 당나귀는 탁자와 탁자 위의 접시들을 깼을 뿐이에요./ 그리고 개처럼 그를 핥았어요./ "도와 줘. 당나귀가 날 죽이려고 해." 주인이 소리쳤어요./ 하인들이 당나귀를 때린 다음 마구간으로 몰아냈어요.

One day, the donkey jumped about his master like the dog did. But he broke the table and the dishes on it. Then he licked his master like a dog.

"Help me! The donkey is going to kill me!" the master cried.

The servants beat the donkey and then drove the donkey to his stable.

62 영국의 전래 동화

Chicken Little

An acorn fell on Chicken Little's head.

"The sky is falling," Chicken Little said to her friends.

"We should tell the king,"

Chicken Little and her friends shouted and began to run.

해석 _치킨 리틀

도토리 한 개가 치킨 리틀 머리에 떨어졌어요./ "하늘이 무너지고 있어!" 치킨 리틀이 친구들에게 말했어요./ 치킨 리틀과 그의 친구들은 "임금님께 알려야 해!" 라고 외치고 뛰기 시작했어요./ 그들은 길을 내려가다 폭시 록시를 만났어요./ "안녕. 어디 가니?" 폭시 록시가 물었어요./ "임금님이 어디 사는지 아니?" 그들이 되물었어요./ "알지. 날 따라오면 돼." 폭시 록시가 말했어요./ 폭시 록시는 그들을 자기 굴로 데려갔어요./ 하지만 그들은 다시는 그 굴에서 나오지 못했어요.

They met Foxy Loxy way down the road.

"Hello, where are you going?" Foxy Loxy asked.

"Do you know where the king lives?" they asked back.

"I know. Just follow me," Foxy Loxy said.

Foxy Loxy took them into his den. But they never came out of the den.

63

고대 그리스의 이솝 우화

The Frog Who Wanted to Be as Big as an Ox

A frog saw an ox.

"He's really big and handsome."

He began to blow himself up.

"Am I big enough?" the frog asked his friend. The friend said, "No."

"Okay. I'll try harder," the frog said.

해석 _소처럼 커지길 원했던 개구리

개구리가 황소를 보았어요./ "정말 크고 잘 생겼네."/ 개구리는 자기 몸을 부풀리기 시작했어요./ "나 충분히 커졌니?" 개구리는 친구에게 물었어요./ 그 친구는 아니라고 했어요./ "좋아. 좀 더 해야지." 개구리는 말했어요./ 개구리는 자기 몸을 자꾸만 부풀렸어요./ "지금은 어때?" 개구리는 다른 친구에게 물었어요./ "글쎄, 갈 길이 먼 것 같은데." 친구가 답했어요./ 개구리는 계속 바람을 넣었어요./ "펑!" 마침내 개구리는 몸이 터져 죽고 말았어요.

The frog puffed and puffed himself up.

"How about now?" the frog asked another friend.

"Well, you've still got a long way to go," the friend replied.

The frog blew and blew.

"Pop!" At last, he exploded and died.

64

독일의 그림형제 동화

The Shoemaker and the Elves

The shoemaker and his wife were hiding behind a curtain.

At midnight, the elves crept into their house through a gap in the door.

"Who are they?" the shoemaker asked.

"They are elves," his wife whispered.

해석 _구두 수선공과 요정들

구두 수선공과 그의 아내가 커튼 뒤에 숨어 있었어요./ 밤 12시가 되자 요정들이 문틈으로 그의 집에 기어 들어왔어요./ "누구지?" 구두 수선공이 물었어요./ "요정들이에요." 그의 아내가 속삭였어요./ 요정들은 구두 수선공의 탁자로 올라가 일을 하기 시작했어요./ 그들은 바느질을 하고 또 했어요./ 그들은 망치질을 하고 또 했어요./ 다음 날 구두 수선공과 그의 아내는 그들을 위해 조그만 신발들과 따뜻한 옷을 만들었어요./ 그들은 탁자에다 구두와 옷을 두었어요./ 요정들은 그 신발과 옷들을 아주 좋아했어요.

The elves climbed onto the shoemaker's table and started to work.

They stitched and stitched.

They hammered and hammered.

The next day, the shoemaker and his wife made tiny shoes and warm clothes for them. They left the shoes and clothes on the table.

The elves loved the shoes and the clothes very much.

65 그리스 신화

Orpheus and Euridice

Orpheus went to Hades, the king of the dead.

"Please release my wife, Euridice."

Orpheus sang while crying.

His song moved Hades.

해석 _오르페우스와 유리디체

오르페우스는 사후 세계의 왕인 하데스에게 갔어요./ "제발 저의 아내, 유리디체를 풀어 주세요."/ 그는 눈물을 흘리며 노래를 불렀어요. / 그의 노래가 하데스를 감동시켰어요./ "너의 아내를 집으로 데려가거라./ 단 명심해라./ 절대 땅 위에 도착할 때까지 그녀를 보지 말아라." 라고 하데스가 경고했어요./ 오르페우스는 땅을 향해 걸어 갈수록 유리디체가 너무도 보고 싶었어요./ 그래서 오르페우스는 고개를 돌려 아내를 봤어요./ "안녕." 그녀는 그렇게 속삭이며 사라졌어요.

"Take your wife home. But you should remember; don't look at her before you arrive above ground," Hades warned.

As Orpheus walked up to the earth, he really wanted to see Euridice.

So he looked back to see her.

"Bye," she whispered and disappeared.

덴마크의 안데르센 동화

66 The Little Match Girl

It was a cold and snowy New Year's Eve.

The little match girl was walking  in bare feet. But nobody bought even one box of matches  all day long.

She took a match  from the bundle  and then rubbed  it on the wall.

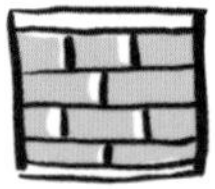

해석 _성냥팔이 소녀

춥고 눈 오는 새해 전날이었어요./ 작은 성냥팔이 소녀는 맨발로 걷고 있었어요./ 하지만 하루 종일 아무도 성냥 한 통도 사 주지 않았어요./ 그녀는 더미에서 성냥 한 개피를 꺼내 벽에다 그었어요./ 소녀는 꽁꽁 언 손을 그 작은 불꽃으로 데우려 했어요./ "불꽃 좀 봐. 너무 따뜻해." 소녀는 따뜻한 난로 앞에 앉아 있다고 상상했어요./ 소녀는 멋진 크리스마스 나무 밑에 앉아 있다고 상상했어요./ 수천 개의 전구가 나무에서 빛났고 그 빛들은 하늘의 별이 되었어요.

She tried to warm her frozen fingers with the little flame.

"Look at the flame. It's so warm!"

She imagined herself sitting in front of a warm stove. She imagined herself sitting under a wonderful Christmas tree. Thousands of lights were brightly lit on the tree, and the lights became the stars  in the sky.

67 고대 그리스의 이솝 우화

The Dog in the Manger

When the ox was outside working, a dog went into the manger to take a nap.

"This place is cozy," the dog said.

But soon, the ox returned from work. He wanted to rest on the straw near the manger. The dog got angry.

해석 _여물통의 개

황소가 밖에서 일을 하고 있을 때 개 한 마리가 낮잠을 자러 여물통에 들어갔어요./ "이 곳은 참 편해." 개가 말했어요./ 그런데 곧 황소가 일을 마치고 돌아왔어요./ 그는 여물통 옆의 짚단 위에서 쉬고 싶었어요./ 개는 화가 났어요./ "멍! 멍! 누가 날 깨웠어?"/ 황소는 짚단에 계속 가까이 가려고 했어요./ 하지만 개가 계속 황소에게 짖어 댔어요./ 결국 황소는 짚단 위에서 쉬는 것을 포기하고 밖으로 나갔어요.

"Bark! Bark! Who woke me up ?"

The ox kept trying to get nearer to the pile of straw. But the dog barked and barked at the ox.

At last, the ox gave up getting some rest on the straw and went outside.

덴마크의 안데르센 동화

68 The Little Mermaid

The ship was beautifully decorated, and many people were enjoying the prince's wedding reception.

'Tonight is the last time I can breathe with the prince,' the little mermaid thought.

She danced and danced without minding the pain in her feet.

해석 _인어 공주

배는 아름답게 장식이 되어 있었고, 많은 사람들이 왕자의 결혼 피로연을 즐기고 있었어요./ '오늘이 왕자님과 함께 숨을 쉴 수 있는 마지막 밤이구나,' 인어 공주는 생각했어요./ 인어 공주는 발이 아픈 것은 신경 쓰지 않고 계속 춤을 췄어요./ "막내야." 언니들이 파도 속에서 외쳤어요./ "우리는 널 죽도록 두지는 않을 거야./ 널 도우려고 마녀에게 우리의 머리카락을 줬어./ 여기 칼이 있어./ 해가 뜨기 전에 왕자를 죽여."

"Little sister," her sisters called out from the waves.

"We won't let you die.

We gave our hair to a witch to help you. Here's a knife.

Kill the prince before the sun rises."

69

유태인 전래 동화

The Miser and the Baby Spoon

Once, there lived a rich miser.

One day, his neighbor came to him.

"Please lend me your silverwares. I'll polish them after I use them and return them to you."

The next day, the neighbor came to the

해석 _구두쇠와 아기숟가락

옛날에 부자 구두쇠가 살고 있었어요./ 하루는 이웃 사람이 그를 찾아왔어요./ "은 그릇 좀 빌려 주세요./ 사용한 뒤 윤나게 닦아서 돌려 드릴게요."/ 다음 날 그 이웃 사람이 구두쇠를 다시 찾아가서 말했어요./ "은 그릇 중 하나가 아기숟가락을 낳았어요!/ 은 그릇과 아기(은 그릇)를 함께 돌려 드릴게요."/ 구두쇠는 너무 기뻤어요./ 며칠 후 이웃 사람은 구두쇠에게 와서 은 그릇들(은 그릇과 은 숟가락)이 죽었다고 말했어요./ "뭐라고? 내 물건들 돌려 줘."/ "은 그릇이 아기를 낳는다는 것을 믿었죠./ 그렇다면 은 그릇이 죽었다는 것도 믿으셔야죠." 그 이웃 사람이 말했어요.

miser again and said, "One of your silverwares had a baby spoon ! I'll give you the silverwares with the baby ."

The miser was delighted at the news.

After a few days, the neighbor told the miser that the silverwares had died.

"What? Give me back my things."

"You believed your silverware gave birth . Then you should believe they died, too," the neighbor said.

고대 그리스의 이솝 우화

70 The Oak Tree and the Reed

"You are slender, so you have to bend your head. But I never bend. Nothing makes me bow," the oak tree said to the reed.

Suddenly, a strong wind blew.

The oak tree stood still, but at last, it broke.

해석 _참나무와 갈대

"너는 가늘어서 고개를 숙여야만 하지./ 하지만 나는 절대 구부리는 법이 없어./ 아무도 나를 구부리게 하지 못해." 라고 참나무가 갈대에게 말했어요./ 갑자기 강한 바람이 불었어요./ 참나무는 계속 서 있다가 결국은 부러지고 말았어요./ 하지만 갈대는 고개를 숙이고서 바람이 지나가는 대로 계속 움직였어요./ "나는 너보다 강하지는 않아./ 하지만 바람에 다치지는 않아." 갈대가 죽은 참나무에게 말했어요.

But the reed bent its head down and kept moving as the wind passed by.

“I’m not stronger than you. But the wind never hurts me,”

the reed said to the dead oak tree.

덴마크의 안데르센 동화

The Princess and the Pea

One evening, there was a heavy storm. Somebody knocked  on the door . "I'm all wet . Please let me stay here tonight," a princess begged.

The queen  decided to test whether she was a real princess .

해석 _완두콩 위에서 잔 공주

어느 저녁 심한 폭풍우가 몰아쳤어요./ 누군가 문을 두드렸어요./ "저는 완전히 젖었어요. 여기서 하루만 묵도록 해 주세요," 한 공주가 말했어요./ 왕비은 진짜 공주인지 실험해 보기로 했어요./ 그녀는 먼저 침대 바닥에 완두콩 한 알을 놓았어요./ 그러고는 그 위에 매트리스 여러 장 깔고 매트리스 위에는 깃털 이불을 여러 장 깔았어요./ 아침에 잘 잤는지 공주에게 물어 보았어요./ "잘 못 잤어요. 침대에 딱딱한 게 있었어요." 공주가 불평을 했어요.

The queen first laid a pea on the bedstead. Then she put many mattresses on it and then put many feather quilts on top of the mattresses.

In the morning, they asked her how she slept.

"I didn't sleep well. There was something hard on the bed,"

the princess complained.

72

독일의 그림형제 동화

Swan Lake

Prince Siegfried saw a flock of swans flying above the sky.

He began to follow the swans with his bow and arrows.

When the prince arrived at the lake, a beautiful lady suddenly appeared.

해석_백조의 호수

지그프리트 왕자는 백조 한 무리가 하늘로 날아가는 것을 보았어요./ 그는 활과 화살을 들고 백조를 따라가기 시작했어요./ 왕자가 호숫가에 도착했을 때 갑자기 아름다운 아가씨가 나타났어요./ "누구신가요?" 왕자가 그녀에게 물었어요./ "저는 백조의 여왕이에요." 여자가 말했어요./ 그녀는 나쁜 마법사가 자기와 친구들을 백조로 바꿨다고 말했어요./ "오직 남자의 참된 사랑만이 주문을 깰 수 있지요." 여자가 덧붙였어요.

"Who are you?" the prince asked her.

"I am the Swan Queen," she said.

She told him that an evil magician had transformed her and her friends to swans.

"Only the true love of a man can break the spell," she added.

73

고대 페르시아의 전래 동화

The Adventures of Sinbad

When Sinbad woke up from his nap, his ship was nowhere in sight.

He began to climb up a tree to look around the island.

At the top of the tree, he saw a big, white, bowl-like thing.

Then he realized that it was a big egg.

해석 _신밧드의 모험

신밧드가 잠에서 깨어났을 때/ 배는 어디에서도 보이지 않았어요./ 신밧드는 섬을 살펴보기 위해서 나무 위로 기어 오르기 시작했어요./ 나무 위에서 신밧드는 그릇처럼 생긴 크고 흰 것을 보았어요./ 신밧드는 그것이 큰 알임을 알게 되었어요./ 갑자기 하늘이 어두워지면서/ 엄마 새가 알을 까려고 돌아왔어요./ 신밧드는 터번 천으로 자기 몸을 새 다리에 묶었어요./ "나를 섬 밖으로 데려가 줘." 신밧드는 기도했어요.

Suddenly, the sky got dark, and the mother bird returned to hatch it.

Sinbad tied himself to the leg of the bird with the cloth of his turban.

"Let me get off the island," Sinbad prayed.

Hold on!

덴마크의 안데르센 동화

74 The Red Shoes

Karen had to take care of her sick grandmother. But she put on her red shoes and went to the ball instead.

Karen began to dance. Something strange happened to her.

"Oh, my gosh!
I can't stop dancing!"

해석_빨간 구두

카렌은 아픈 할머니를 돌봐야만 했어요./ 그러나 그녀는(할머니를 돕는 대신에) 빨간 구두를 신고 무도회장에 갔어요./ 카렌은 춤을 추기 시작했어요./ 그런데 뭔가 이상한 일이 일어났어요./ "오, 세상에. 춤을 멈출 수가 없어요."/ 그녀는 방에서, 계단에서, 심지어는 거리에서도 춤을 췄어요./ "어떻게 이 구두를 벗지?"/ 그녀는 신발을 벗으려 했지만 발에 딱 붙어 있었어요./ 그녀는 계속 춤을 춰야만 했어요.

She danced in the room, on the steps, and even in the street.

"How can I take these shoes off?"

She tried to take off the shoes, but the shoes just clung to her feet.

She had to dance and dance again.

독일의 그림형제 동화

75 The Sleeping Beauty

Nobody wanted to go to the castle.

The people thought that a ghost lived in the castle.

One day, a prince went hunting and saw the way to the castle.

The prince became curious.

해석 _잠자는 공주

아무도 그 성에 가려고 하지 않았어요./ 사람들은 그 성에 유령이 살고 있다고 생각했어요./ 어느 날 한 왕자가 사냥을 나왔다가 그 성으로 가는 길을 보았어요./ 왕자는 매우 호기심이 났어요./ 왕자는 성 안으로 걸어 들어갔어요./ 성에 있는 모든 사람들이 잠을 자고 있었어요./ 왕자는 너무도 아름다운 공주를 보고 깜짝 놀랐어요./ 왕자는 떨렸지만 키스를 하려고 가까이 다가갔어요./ "왕자님, 당신이에요?" 눈을 뜨면서 공주님이 말했어요.

He walked into the castle.

Everyone in the castle was asleep.

The prince was surprised to see such a beautiful princess. He trembled but drew nearer to kiss her.

"Is it you, prince?" said the princess as she opened her eyes.

Kiss me!

76 프랑스의 페로 동화

Little Red Riding Hood

As Little Red Riding Hood walked through the woods, she met a wolf .

“Where are you going?”

the wolf  asked.

“I’m going to take these cakes  to my grandma. She lives in the cottage in the woods,”

해석 _빨간 모자

빨간 모자는 숲을 걸어가다 늑대를 만났어요./ “너 어디 가니?” 늑대가 물었어요./ “할머니께 케이크를 가져다 드리러 가요./ 할머니는 숲에 있는 오두막에서 사세요.” 빨간 모자가 말했어요./ “나도 할머니를 뵙고 싶구나./ 누가 먼저 할머니 오두막에 가는지 보자/ 넌 이 길 가, 난 저 길로 갈게.” 라고 늑대가 말했어요./ 그런 다음 늑대는 숲으로 사라졌어요.

Little Red Riding Hood said.

"I want to see her, too. Let's see who can go to your grandma's cottage first. you go this way. I'll go that way," the wolf said.

And the wolf disappeared into the woods.

독일의 그림형제 동화

77 The Frog Prince

"Please open the door , princess !" somebody called from outside.

The princess  ran to the door .

There stood an ugly frog . She shut the door and ran to the table.

"What's up?" asked the king.

해석 _개구리 왕자

"공주님, 문을 열어 주세요." 누군가 밖에서 외쳤어요./ 공주는 문으로 뛰어갔어요./ 그 못생긴 개구리가 서 있었어요./ 공주는 문을 닫고 탁자로 뛰어갔어요./ "무슨 일이니?" 왕이 물었어요./ "못생긴 개구리예요. 어제 제 금공이 우물에 빠졌어요. 만약 그 개구리가 그 공을 내게 가져오면 친구가 되어 주겠다고 약속했어요. 그런데 그 못생긴 개구리는 제 탁자에 앉아서 제 금접시에다 먹고, 제 금컵으로 마시기를 원했어요."라고 공주가 말했어요./ "문을 열어라./ 약속을 지켜./ 공주는 거짓말을 하지 않는다." 라고 왕이 말했어요.

"It's an ugly frog. Yesterday, my golden ball fell into the well. I promised that if he brought me the ball, I would be his friend. But the ugly frog wanted to sit at my table, eat from my golden plate, and drink from my golden cup."
the princess said.

"Open the door. Keep your promise. A princess doesn't tell lies,"
the king said.

78

유태인 전래 동화

Sharing a Drink

Two men  ran a tavern 

.

One day, they went to buy some whiskey in another village. Before they left for home, they agreed not to drink it.

"Let's taste some," a man said.

"Okay. But we agreed not to drink the

해석 _술 나눠 먹기

두 남자가 술집을 운영하고 있었어요./ 어느 날 둘이는 다른 동네에 위스키를 사러 갔어요./ 둘은 집으로 출발하기 전 술을 마시지 않기로 약속했어요./ "맛 좀 보자." 한 남자가 말했어요./ "좋아. 그런데 우리가 위스키를 마시지 않기로 했잖아. 그러니 손님들처럼 돈을 내야 해." 다른 남자가 말했어요./ 첫 번째 남자는 동전 한 개를 두 번째 남자에게 주었어요./ "진짜 맛있는데." 첫 번째 남자가 말했어요./ "목이 마르네." 두 번째 남자는 그 동전을 첫 번째 남자에게 돌려 주었어요./ 그렇게 동전을 주거니 받거니 계속했어요./ 집에 도착했을 때는 술통이 비어 있었어요.

whiskey. So you should pay for it like our customers," the other man said. The first man gave one coin to the second man.

"It tastes really good!" the first man said.

"I'm thirsty now," the second man gave the coin back to the first man. They kept giving the coin back and forth. When they got home, the barrel was empty.

덴마크의 안데르센 동화

79 The Nightingale

A king received a gift.

It was a mechanical nightingale.

It was decorated with jewels, and it sang just like a nightingale  when it was wound up.

"What a wonderful bird!"

the people in the palace exclaimed about it.

해석 _나이팅게일

한 왕이 선물을 받았어요./ 그것은 기계로 된 나이팅게일이었어요./ 그것은 보석으로 장식이 되어 있었고, 태엽을 감으면 진짜 나이팅게일처럼 노래를 불렀어요./ "정말 멋진 새야!" 왕궁에 있는 사람들이 감탄했어요./ "이제부터는 꼭 두 새가 함께 노래를 부르도록 해라." 라고 왕이 명령했어요./ 진짜 나이팅게일과 기계로 된 나이팅게일은 함께 노래를 불렀어요./ 하지만 그들의 노래는 서로 어우러지지 않았어요./ 시간이 가면서 점점 더 많은 사람들이 기계로 된 나이팅게일을 좋아하게 되었어요./ 결국 진짜 나이팅게일은 왕궁에서 쫓겨나고 말았어요.

"Now the two birds should sing together," the king ordered. The real nightingale and the mechanical nightingale sang together. But their songs never matched with each other.

As time went by, more and more people were pleased with the mechanical bird.

The real nightingale was expelled from the palace at last.

영국의 로버트 브라우닝 동화

80 The Pied Piper of Hameln

The piper began to play.

All the rats in the town followed him and went straight into the water.

The rats all drowned.

The piper came back to the town.

"Give me money like you promised,"

해석 _하메른의 피리 부는 사나이

피리 부는 사나이는 피리를 연주하기 시작했어요./ 마을에 있던 모든 쥐들이 그를 따라 곧장 물로 걸어 들어갔어요./ 쥐들은 모두 물에 빠져 죽었어요./ 피리 부는 사나이는 마을로 돌아왔어요./ "약속했던 돈을 주시오." 라고 피리 부는 사나이가 말했어요./ "아니오. 우리는 맘이 바뀌었어요." 마을 사람들이 말했어요./ 피리 부는 사나이는 화가 났어요./ "당신들은 약속을 깼소. 곧 그걸 후회하게 될 거요." 그는 밖으로 나갔어요./ 피리 부는 사나이는 다시 피리를 불기 시작했어요./ 마을의 어린이들이 그의 뒤를 따랐어요.

the piper said.

"No. We changed our minds," the villagers said. The piper got angry.

"You broke your promise. You'll regret it soon." He went out.

The piper began to play again. The children in the town all followed him.

81

고대 페르시아의 전래 동화

Aladdin and the Magic Lamp

Aladdin found a magic lamp and returned to the mouth of the cave.

"Hurry up! Give me the lamp," the magician cried out.

"No. Let me out first," Aladdin answered.

해석 _알라딘과 마법의 램프

알라딘은 마법의 램프를 찾아서 동굴 입구로 돌아왔어요./ "어서! 램프를 줘." 마법사가 소리쳤어요./ "안 돼요. 먼저 저를 나가게 해 주세요." 알라딘이 대답했어요./ 마법사는 화가 나서 불에다 마법 가루를 던졌어요./ 그러고는 마법의 주문을 외웠어요./ 돌이 다시 제자리로 굴러갔어요./ 알라딘은 컴컴한 굴에 홀로 남았어요.

The magician got mad and threw some magic powder on the fire.

Then he said some magic words.

The stone rolled back into its place.

Aladdin was left alone in the dark cave.

덴마크의 안데르센 동화

82 Thumbelina

A woman planted a magic seed in the ground.

Soon, it began to sprout.

A beautiful flower sprang up.

"What a lovely flower,"

the woman exclaimed.

But its petals were tightly closed.

해석 _엄지 공주

여자는 마법의 씨앗을 땅에 심었어요./ 곧 싹이 트기 시작했어요./ 아름다운 꽃이 맺혔어요./ "정말 예쁜 꽃이네." 여자가 감탄을 했어요./ 그런데 꽃잎은 단단하게 닫혀 있었어요./ 그 여자는 꽃잎에 키스를 했어요./ '탁' 하고 꽃이 피었어요./ 꽃 가운데에는 작은 소녀가 앉아 있었어요./ 소녀는 아주 예뻤는데 엄지 손가락 정도밖에 되지 않았어요./ "너를 엄지 공주라고 부를게." 여자는 행복하게 말했어요.

The woman kissed the petals.

'Snap!' The petals  opened.

In the middle of the flower, a little girl  was sitting .

She was so pretty and was no bigger than a thumb.

"I'll call you Thumbelina," the woman said happily.

83

독일의 그림형제 동화

Six Swans

The queen  was led to the stake 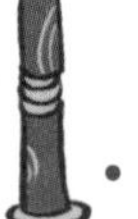.

She saw six swans  flying above her.

When her hands were released, she threw some woven shirts  to them.

When the six swans touched the shirts , their swan-skins fell off.

해석 _백조 왕자

왕비는 화형대로 끌려갔어요./ 왕비는 자기 위로 백조 여섯 마리가 나는 것을 보았어요./ 왕비는 손이 자유롭게 되자 짠 셔츠를 그들에게 던졌어요./ 여섯 백조가 그 셔츠를 건드리자 백조 가죽이 벗겨졌어요./ 오빠들과 여동생은 서로 부둥켜안고 키스를 했어요./ "왕이시여, 저는 이제 말할 수 있습니다. 저는 죄가 없어요." 왕비는 왕에게 말했어요.

The brothers and the sister hugged and kissed each other.

"Dear king, now I can speak. I'm not guilty."

The queen said to the king.

I'm not guilty!

84

프랑스의 페로 동화

Puss in Boots

A cat  heard that the king  would take a walk with the princess  along the riverside.

"Master, if you just do as I say, you'll be rich," Puss in Boots  said to the miller's son.

해석 _장화 신은 고양이

고양이는 임금님이 공주와 함께 강을 따라 산책한다는 얘기를 들었어요./ "주인님, 제가 하라는 대로만 하시면 부자가 되실 거예요."/ 장화 신은 고양이가 방앗간 집 아들에게 말했어요./ 방앗간 집 아들은 강으로 가 고양이가 말한대로 목욕을 했어요./ 갑자기 고양이가 소리치기 시작했어요./ "도와 줘요! 도와 줘요! 주인님이 물에 빠졌어요."/ 임금님은 이 소리를 듣고 신하들을 시켜 그를 구해 주도록 했어요./ 임금님은 멋진 옷도 주셨어요./ 그는 매우 잘생겨 보였어요./ 공주님은 그와 사랑에 빠지고 말았어요.

The miller's son went to the river and took a bath just as the cat said.

Suddenly, the cat began to shout, "Help! Help! My master is going to drown."

The king heard that sound and had his men help him out of the water.

The king also gave him some nice clothes. He looked very handsome. The princess fell in love with him.

영국의 위다 동화

85 A Dog from Flanders

Nello's last hope was gone. He didn't win first prize in the drawing contest.

Nello couldn't win the money to pay his rent. Nello and Patrasche had to leave their house by the next day.

"It's all over," Nello sadly said to

해석 _플란더스의 개

네로의 마지막 희망이 사라졌어요./ 그는 그림 대회에서 1등을 놓치고 말았어요./ 네로는 월세를 낼 돈을 벌지 못한 거예요./ 네로와 파트라슈는 내일까지 집을 비워 줘야 했어요./ "모두 끝났어." 네로가 슬프게 파트라슈에게 말했어요./ 네로와 파트라슈는 집으로 향했어요./ 심한 눈이 그들을 휘청거리게 했어요./ 갑자기 파트라슈가 멈춰 서더니 눈에서 조그만 갈색 지갑을 끄집어 냈어요./ 네로는 그 지갑을 펼쳐 보았어요./ 그것은 알로아 아빠의 지갑이었어요.

Patrasche.

Nello and Patrasche started for home.

The heavy snow made them stagger.

Suddenly, Patrasche stopped and drew out a small brown purse from the snow.

Nello got the purse and turned it in.

It was Alois' father's purse.

86

그리스 신화

King Midas and the Golden Touch

There was a king  named Midas.

Everything he touched turned into yellow gold.

King Midas  was so happy.

He got hungry. He touched some food .
Then the food turned into gold.
He couldn't eat anything.

해석 _마이다스 왕과 황금의 손

'마이다스' 라는 이름을 가진 왕이 있었어요./ 그가 만지는 모든 것은 황금으로 변했어요./ 마이다스 왕은 너무 기뻤어요./ 왕은 배가 고팠어요./ 음식을 만졌어요./ 그러자 음식이 황금으로 변했어요./ 그는 아무것도 먹을 수가 없었어요./ 왕이 사랑하는 작은 딸이 왔어요./ 마이다스 왕은 딸에게 입을 맞췄어요./ 그 순간 공주는 금동상으로 변하고 말았어요./ "제발 내 딸을 돌려 주세요." 왕이 울부짖었어요.

His loving little daughter came to him.
King Midas touched her with his lips.
At once, the princess turned into a golden statue.

"Give me back my daughter!"
King Midas cried.

87

고대 페르시아의 전래 동화

Ali Baba and the Forty Thieves

When Ali Baba was sure the forty thieves were all gone, he went slowly to the wall of the rock.

"Open, sesame!" he said.

The door slid open.

He was surprised to see the mounds of carpets, clothing sacks of gold,

해석 _알리바바와 40인의 도둑

알리바바는 40인의 도둑이 완전히 간 것이 분명해지자 천천히 바위벽으로 갔어요./ "열려라, 참깨!" 라고 말했어요./ 문이 스르륵 열렸어요./ 그는 카펫, 옷, 금과 보석 자루가 산더미같이 있는 것을 보고 놀랐어요./ 알리바바는 금자루를 나귀에 잔뜩 싣고서/ 동굴 밖으로 나왔어요./ "닫혀라, 참깨" 라고 말했어요./ 문이 스르륵 닫혔어요.

and jewels  .

Ali Baba loaded his ass with many sacks of gold and left the cave .

"Close, sesame!" he said.

The door slid close.

88

미국의 에드거 라이스 버로우즈 동화 

Tarzan

A family was left on the desert island.

The father built a cabin for his wife and their coming baby. But she died after having a baby boy.

One day, some cruel apes came into the cabin. They killed the baby's father.

해석 _타잔

한 가족이 무인도에 남겨졌어요./ 아버지는 아내와 태어날 아기를 위해 오두막집을 지었어요./ 하지만 그녀는 사내 아이를 낳은 뒤 죽고 말았어요./ 어느 날 잔인한 유인원들이 오두막집에 쳐들어와서는 그 아이의 아버지를 죽였어요./ 여자 유인원인 칼라는 하얀 아기를 보았어요./ "이상하고 하얀 물건이구나!" 칼라는 아기를 보고 감탄했어요./ 칼라는 숲으로 아기를 데려가 보살폈어요./ 원숭이들은 그 아기를 하얀 피부라는 뜻인 '타잔' 이라 불렀어요.

Kala, a female ape, saw the white baby.

"What a strange, white thing!"

she exclaimed at the baby.

She took the baby to the forest and took care of him.

The apes called the baby "Tarzan", meaning "white skin".

I'll call you 'Tarzan.'

89

아일랜드의 조나단 스위프트 동화

Gulliver's Travels

When Gulliver woke up, he found his hair, arms and legs were tied to the ground. He saw lots of little men busy working. He didn't know their language but talked to them. "Please give me something to eat." He put his finger in his mouth to

해석 _걸리버 여행기

걸리버는 깨어났을 때, 자신의 머리와 팔다리가 바닥에 묶인 것을 알았어요./ 그는 작은 사람들이 열심히 일하는 것을 보았어요./ 걸리버는 그들의 말을 몰랐지만 말을 했어요./ "먹을 것 좀 주세요."/ 그는 입에 손가락을 대어 배고프다는 뜻을 나타냈어요./ 작은 사람들의 우두머리가 무엇을 뜻하는지 알았어요./ 곧 음식 바구니들을 가지고 왔어요./ 그들은 걸리버를 커다란 나무틀 위에 올리더니 왕이 사는 도시로 끌고 가기 시작했어요.

show he was hungry. The leader of the little men understood what he meant. Soon, they brought him baskets of food.

They put Gulliver on a large wooden frame and began to drag him to the city where the king lived.

90

캐나다의 루시 몽고메리 동화

Anne of Green Gables

Matthew arrived late at the train station.

"I was worried that you weren't coming,"

Anne said.

"I'm sorry. Let's go to my house," he said.

They took the wagon.

"I love this place. I'm so happy now,"

해석 _빨간 머리 앤

매튜가 기차역에 늦게 도착했어요./ "아저씨가 안 오시는 줄 알고 걱정했어요." 앤이 말했어요./ "미안하구나. 우리 집으로 가자." 아저씨가 말했어요./ 그들은 마차에 올랐어요./ "저는 이 곳이 좋아요. 지금 너무 행복해요." 앤이 말했어요./ "하지만 저는 빨간색 머리카락을 가졌기 때문에 완벽하게 행복할 수는 없어요."/ 매튜 아저씨는 듣고만 있었어요./ "제가 말이 너무 많아요?" 앤이 물었어요./ "아니다. 원하는 만큼 얼마든지 해라." 매튜 아저씨가 말했어요.

Anne said.

"But I can't be perfectly happy because my hair is red."

Matthew just listened to her.

"Am I talking too much?" Anne asked.

"No. Talk as much as you want to," Matthew said.

91

영국의 오스카 와일드 동화

The Happy Prince

"I'll stay with you one more night," said the swallow.

"But I can't pull out your eye. You would be blind then."

"Swallow, just do as I tell you," said the prince.

So the swallow had to pull out his other eye. The swallow flew to the match girl with it and slipped the jewel into the palm of her hand.

The swallow returned to the prince .

"You must fly  to Egypt now," said the prince.

"No, I'll always stay with you," said the swallow.

I'll stay with you!

해석 _행복한 왕자

"하룻밤만 더 있어 줄게요" 라고 제비가 말했어요./ "하지만 당신의 눈은 뽑을 수 없어요./ 그럼 당신은 장님이 될 거예요."/ "제비야, 내가 말한대로 해 주렴." 왕자가 말했어요./ 그래서 제비는 왕자의 다른 눈도 뽑아야 했어요./ 제비는 성냥팔이 소녀한테 그것을 들고 날아갔어요./ 그녀의 손바닥에 그 보석을 떨어뜨렸어요./ 제비는 왕자에게 다시 돌아갔어요./ "이제 너는 이집트로 날아가야 해." 라고 왕자가 말했어요./ "아니오. 항상 당신 곁에 있을래요." 라고 제비가 말했어요.

92

프랑스의 쥘 베른 동화

Around the World in Eighty Days

"I'll prove that I can travel around the world in eighty days. I have twenty thousand pounds at the bank. If I fail, I'll give you that money. But if I succeed, you should give me that amount of money," Mr. Fogg said that and left London.

해석 _80일간의 세계 일주

"80일 만에 세계 일주를 할 수 있다는 것을 보여 주겠소./ 은행에 2만 파운드가 있소./ 만약 내가 실패하면 그 돈은 당신들 것이오./ 하지만 내가 성공한다면 그 돈만큼 내게 줘야 하오." 포그씨는 그렇게 말하고는 런던을 떠났어요./ 마침내 약속한 시간이 되었어요./ 친구들은 클럽에서 포그씨 얘기를 하고 있었어요./ "시간이 거의 다 됐어./ 와우! 우리가 이겼다고." 한 남자가 말했어요./ 바로 그 때 포그씨가 문을 열었어요./ "나는 80일 만에 세계를 돌았소."/ 모두들 벽에 걸린 시계를 보았어요./ 시계는 8시 45분을 가리키고 있었어요./ 포그씨가 그 게임에서 이겼어요.

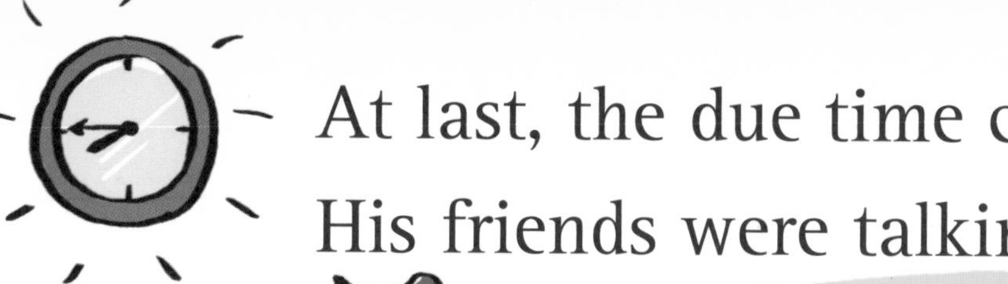

At last, the due time came.
His friends were talking about Mr. Fogg at the club.

"Time is almost up. Wow! We won the bet," a man said.

At that very moment, Mr. Fogg opened the door. "I rounded the world in eighty days."

Everyone looked at the clock on the wall. The clock said eight forty-five. Mr. Fogg won the bet.

영국의 루이스 캐롤 동화

93 Alice's Adventures in Wonderland

Alice went to the White Rabbit's house to get his gloves.

Alice wandered around the house and went into a tiny room.

She saw a bottle on the table. The bottle had no label saying "Drink me."

해석 _이상한 나라의 앨리스

앨리스는 하얀 토끼의 장갑을 가지러 그의 집에 갔어요./ 앨리스는 집을 돌아다니다 작은 방으로 들어갔어요./ 앨리스는 탁자 위에 있는 병을 보았어요./ 그 병에는 "나를 마셔요." 라는 딱지가 없었어요./ 하지만 앨리스는 그 병을 마시기 시작했어요./ 앨리스는 자꾸 커졌어요./ 병을 다 마시기도 전에/ 머리가 천장을 눌렀어요./ 앨리스는 목이 부러질까 봐 고개를 숙여야만 했어요./ 한 팔은 창문 밖에 내놓고 / 한 발은 굴뚝 위로 냈어요.

But Alice started to drink it. She grew bigger and bigger. Before she finished the bottle, her head pressed against the ceiling.

Alice had to stoop down for fear of breaking her neck.

She put one arm out the window and one foot up the chimney.

이탈리아의 카를로 콜로디 동화

94 Pinocchio

"Where are the five gold pieces ?" the fairy asked.

"I lost them," Pinocchio told the first lie.

His nose grew long .

"Where did you lose them?" she asked.

"In the woods ," he told the second lie.

해석 _피노키오

"금 조각 다섯 개는 어디 있니?" 요정이 물었어요./ "잃어버렸어요." 피노키오는 첫 번째 거짓말을 했어요./ 그의 코가 길어졌어요./ "어디서 잃어버렸는데?" 그녀는 물었어요./ "숲에서요." 그는 두 번째 거짓말을 했어요./ 피노키오의 코가 더 길어졌어요./ "어디에서 잃어버렸다고?" 요정이 다시 물었어요./ "약 먹을 때 삼켜 버렸어요." 피노키오는 세 번째 거짓말을 했어요./ 그의 코가 예전보다 훨씬 더 길어졌어요./ "너의 길어지는 코를 보면 네가 거짓말을 한다는 걸 알 수 있지." 요정이 말했어요./ 피노키오는 너무 부끄러웠어요.

His nose grew longer.

"Where did you lose them?" the fairy asked again.

"I swallowed them when I took the medicine," Pinocchio told the third lie.

His nose became even longer than before.

"Your long nose tells me you are lying," the fairy said.

Pinocchio was so ashamed of himself.

95

영국의 찰스 디킨스 동화

A Christmas Carol

"Please show me what will become of me," Scrooge said to the ghost.

The ghost took him to a churchyard. The ghost pointed at one grave. Scrooge crept towards it, trembling.

'Ebenezer Scrooge'

해석 _크리스마스 캐롤

"제가 어떻게 될지 보여 주세요." 스크루지가 유령에게 말했어요./ 유령은 그를 어떤 (교회)묘지로 데려갔어요./ 유령은 묘 하나를 가리켰어요./ 스크루지는 떨면서 그 묘로 기어갔어요./ '에베네저 스크루지' / "오, 안 돼." 스크루지가 외쳤어요./ "저는 예전의 제가 아니에요./ 일 년 내내 크리스마스를 지킬게요." 스크루지는 유령에게 애원을 했어요.

"Oh, no!" Scrooge cried out.
"I'm not the man I was. I'll keep Christmas all year round," Scrooge begged the ghost.

96

미국의 마크 트웨인 동화

The Prince and the Pauper

The day of the coronation came at last. Edward, the prince, heard that Tom, the pauper, would become the king. Edward hurried to the palace. When it was the very moment to put the crown on Tom's head, Edward, the prince,

해석 _왕자와 거지

드디어 왕자의 대관식이 있는 날이에요./ 에드워드 왕자는 거지 톰이 왕위에 오른다는 소식을 들었어요./ 에드워드 왕자는 급히 왕궁으로 향했어요./ 톰의 머리에 왕관이 씌어지려는 할 때 에드워드 왕자가 들어왔어요./ "내가 진짜 왕이다!" 에드워드 왕자가 소리쳤어요./ 모두들 놀랐어요./ "왕자님, 기다리고 있었어요." 거지가 말했어요./ 두 사람은 마침내 제자리를 찾았지요./ 에드워드 왕자는 왕이 됐어요./ 그리고 거지 톰에게 많은 돈을 주었어요.

entered the room.

"I'm the real King!" Edward shouted.

Everyone was shocked.

"I've been waiting for you," Tom said.

The two boys at last found their own places.

Edward became the king of England.

And he gave much money to Tom.

Wait a minute!

97

영국의 프랜시스 버넷 동화

The Little Princess

When Sara woke up, she thought she was still dreaming.

The room was brightly lit with lamps .

Sara found herself covered with warm blankets.

She saw a blazing fire in the fireplace .

해석 _소공녀

사라가 깨어났을 때, 그녀는 아직도 꿈을 꾸고 있는 줄 알았어요./ 램프가 방을 환하게 밝혀 주고 있었어요./ 사라는 따뜻한 담요가 자기를 덮고 있는 것을 알았어요./ 그녀는 벽난로에서 타오르는 불꽃을 보았어요./ 그녀는 깨끗하고 아름다운 실내복과 슬리퍼도 보았어요./ 식탁은 아름답게 차려져 있었고, 사라가 앉기를 기다리고 있어요./ "내가 꿈을 꾸고 있는 걸까, 깨어 있는 걸까?"

She saw a clean and beautiful gown and slippers, too.

The table was beautifully set and ready for Sara to be seated.

"Am I dreaming or awake?"

독일의 그림형제 동화

98 Rapunzel

The prince heard Rapunzel's beautiful song from a tower.

He wanted to meet her, but there was no door in the tower.

One day, the prince heard the witch call out, "Rapunzel, let down your

해석 _ 라푼젤

왕자는 탑에서 나오는 라푼젤의 아름다운 노래를 들었어요./ 그는 그녀를 만나고 싶었지만 탑에는 문이 없었어요./ 어느 날 왕자는 마녀가 "라푼젤, 머리카락을 내려라!" 라고 외치는 것을 들었어요./ 그러자 라푼젤은 머리카락을 내렸고 마녀는 그것을 타고 성 안으로 올라갔어요./ '오! 머리카락이 탑으로 들어가는 사다리로구나.' / 왕자는 탑으로 가서 외쳤어요. "라푼젤, 머리카락을 내려라!" / 머리카락이 내려왔고, 왕자는 탑으로 올라갔어요.

hair."

Then, Rapunzel let down her long hair, and the witch climbed up into the tower.

'Oh! Her hair is the ladder into the tower.' The prince went to the tower and called out,

"Rapunzel, let down your hair." Her hair fell down, and the prince could climb up into the tower.

99

영국의 윌리엄 셰익스피어 소설

Hamlet

Hamlet's friend said to Hamlet , "I saw a ghost last night. It looked like your father."

"Are you sure? I want to meet him tonight. Help me!" Hamlet  begged.

As Hamlet went along the walls of the castle,

해석 _햄릿

햄릿의 친구가 햄릿에게 말했어요./ "어젯밤에 유령을 보았네./ 자네 아버지처럼 생겼다네."/ "정말이야?/ 오늘 밤 아버지를 만나고 싶네./ 도와 줘!" 햄릿이 사정을 했어요./ 햄릿이 성벽을 따라 걷고 있는데, 어둠 속에서 유령이 나타났어요./ 바로 햄릿의 아버지, 죽은 왕이었어요./ 아버지는 갑옷에다 피 묻은 칼을 들고 있었어요./ "내 복수를 해 다오. 내 형제가 날 죽였다." 유령이 말했어요./ 햄릿은 자신의 귀를 의심했어요.

a ghost appeared from the darkness.

It was Hamlet's father, the dead king.

He was armed and carrying his bloody sword.

"Avenge for me. My brother killed me," the ghost said.

Hamlet couldn't believe his ears.

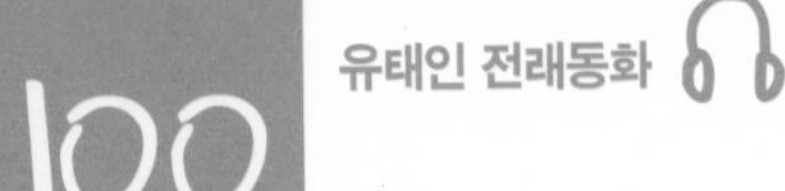

The Young Farmer and the Snake

A young farmer went to town to sell some milk. Then he fell asleep while waiting for a customer.

"Who put this gold coin here?"

he woke up and found the milk was gone but a gold coin was in the mug.

The same thing happened again for many days, so he could give many gold coins to his father. His father wanted more gold

coins, so one day he secretly followed his son to town.

His son fell asleep again, and then he saw a snake wiggling out from a hole. When the snake was going to drop a gold coin, the father hit the snake with a stone.

The snake got angry and bit the young farmer, and he died soon.

"I gave your son my treasure, but you wounded me for life. You gave me a wound in my back, so I gave you a wound in your heart for all of your life,"

the snake said.

해석 _젊은 농부와 뱀

한 젊은 농부가 우유를 팔러 마을로 갔어요./ 그런데 손님을 기다리는 동안 잠이 들고 말았어요./ "누가 이 금화를 넣었을까?" 잠이 깨었을 때 그는 우유가 없어지고 통 안에 금화가 있는 것을 보았어요./ 똑같은 일이 며칠이고 반복되어 그는 그의 아버지에게 많은 금화를 가져다 줄 수 있었어요./ 그의 아버지는 더 많은 금화를 원했어요./ 그래서 어느 날 그는 몰래 그의 아들을 따라 마을로 갔어요./ 그의 아들이 다시 잠이 들었을 때 그는 뱀이 구멍에서 몸을 뒤흔들며 나오는 것을 보았어요./ 뱀이 금화를 떨어뜨리려고 할 때 아버지는 돌로 뱀을 쳤어요./ 뱀은 몹시 화가 나 젊은 농부를 물었고, 곧 그는 죽었어요./ "나는 네 아들에게 나의 보물을 주었다. 그러나 너는 나를 다치게 했어. 네가 나의 등 뒤에서 나를 다치게 했으니 나는 너에게 평생 너의 마음에 남을 상처를 주겠다." 라고 뱀이 말했어요.